A CULPA NÃO É SUA

Supere o passado e descubra seu valor

—

FABIOLA MELO

Copyright © 2019 por Fabiola Melo
Publicado por Editora Mundo Cristão

Os textos das referências bíblicas foram extraídos da *Nova Versão Transformadora* (NVT), da Editora Mundo Cristão, salvo indicação específica. Usado com permissão da Tyndale House Publishers, Inc. Eventuais destaques nos textos bíblicos e citações em geral referem-se a grifos da autora.

Todos os direitos reservados e protegidos pela Lei 9.610, de 19/02/1998.

É expressamente proibida a reprodução total ou parcial deste livro, por quaisquer meios (eletrônicos, mecânicos, fotográficos, gravação e outros), sem prévia autorização, por escrito, da editora.

Edição
Maurício Zágari

Revisão
Natália Custódio

Produção Gráfica
Felipe Marques

Colaboração
Ana Paz

Diagramação
Triall Editorial Ltda.

CIP-Brasil. Catalogação na publicação
Sindicato Nacional dos Editores de Livros, RJ

M485c

Melo, Fabiola

A culpa não é sua : supere o passado e descubra seu valor / Fabiola Melo. - 1. ed. - São Paulo : Mundo Cristão, 2019.

144 p.

ISBN 978-85-433-0391-8

1. Psicologia pastoral. 2. Cura pela fé. 3. Crime sexual contra as crianças. I. Título.

19-55114
CDD: 253.5
CDU: 2-46

Publicado no Brasil com todos os direitos reservados por:

Editora Mundo Cristão
Rua Antônio Carlos Tacconi, 69
São Paulo, SP, Brasil
CEP 04810-020
Telefone: (11) 2127-4147
www.mundocristao.com.br

Categoria: Inspiração
1ª edição: abril de 2019 | 5ª reimpressão: 2022

*Para todas aquelas que já choraram escondido.
Saiba que Jesus vê você. As suas dores não
são apenas suas. Jesus quer segurá-la em seus
braços e caminhar com você. Não importa o
que dizem por aí. Apenas alguém que morreu
por você pode dizer quanto vale a sua vida.*

SUMÁRIO

Agradecimentos	9
Apresentação	11
Prefácio	13
Introdução	15
1. As faces do abuso	21
2. A culpa é uma prisão injusta	39
3. Identidade roubada	51
4. Suja demais para ser amada	77
5. Você é uma vítima, mas não precisa viver como uma	101
6. Um novo eu, uma nova história	123
Conclusão	129
Mitos e realidades sobre o abuso sexual de crianças e adolescentes	133
Denuncie	137
Dados do abuso sexual no Brasil	139
Ore comigo	141
Sobre a autora	143

AGRADECIMENTOS

À minha mãe, Rubenita, símbolo de mulher guerreira, que mesmo em meio às lágrimas nunca deixou de louvar a Deus.

Às minhas avós, Conceição e Inalda, mulheres que venciam batalhas de joelhos.

Ao meu marido, Samuel, pela paciência e sensibilidade ao me apoiar quando muitas vezes eu achei não ter forças para continuar.

Às minhas irmãs, Paulinha (minha "bananinha") e Carol (minha "caracol"), por serem as melhores irmãs que eu poderia ter.

A todas as pessoas que me deram suporte espiritual para escrever este livro, em especial as pastoras Keila, da igreja Hangar7; Thalita Pereira, da Igreja do Amor; Larissa Estrada, da Igreja Onda Dura; e minha pastora, Érika, da Igreja Poiema. Obrigada por serem referências de mulheres fortes e apaixonadas por Deus para a nossa geração de meninas.

Às minhas seguidoras, que ansiaram por uma resposta do alto por meio destas páginas e confidenciaram suas histórias doloridas a fim de espalhar cura.

Ao meu caro editor, Maurício Zágari, que impulsionou de forma poderosa as palavras de uma garota que ainda estava assustada por expor suas próprias feridas. Obrigada pela paciência e me desculpe pelo trabalho que lhe dei.

Àquele que é o início e o fim, *Yahweh Tsidkenuh*. A nossa justiça vem de Deus, que não tarda, não falha e não deixa o mal impune. O Pai de amor que nunca afasta os olhos de seus filhos.

APRESENTAÇÃO

O abuso é um problema grave e que ocorre com uma frequência alarmante no Brasil. Apesar de as estatísticas oficiais serem questionáveis, por se referirem a um problema que, frequentemente, não é reportado às autoridades, os números que chegam a público demonstram um fenômeno assustador: somente o serviço nacional Disque Denúncia registrou, ao longo de 2016, 15.707 casos em todo o país. No primeiro semestre de 2017, foram 9 mil denúncias. Segundo estatísticas do Sinan, o sistema de informações do Ministério da Saúde, ao longo de um ano, o sistema de saúde registrou 22,9 mil atendimentos a vítimas de estupro no Brasil. Em mais de 13 mil deles, o equivalente a 57% dos casos, as vítimas tinham entre 0 e 14 anos. Dessas, cerca de 6 mil vítimas tinham menos de 9 anos. É um quadro espantoso e preocupante.

O problema do abuso tem reflexos em áreas variadas da vida individual e da sociedade e, por essa razão, carece da atenção e das ações de pessoas dos mais variados perfis: de policiais, juízes e legisladores a psicólogos, psiquiatras e pastores. Cada um em sua área de *expertise*, cada um exercendo as competências específicas para dar sua contribuição à prevenção e ao combate do problema. Fabiola Melo também quis contribuir. E o resultado é o livro que você tem em mãos.

Vítima de abuso sexual, Fabiola se recusa a guardar silêncio sobre o que sofreu. Mais ainda, nesta obra ela usa sua *expertise* de comunicadora e influenciadora para pôr a boca no trombone e conclamar toda pessoa que sofreu (ou sofre) abuso a denunciar o crime. Como alguém que conversa com a leitora de igual para igual, ela entende a dor e deseja compartilhar um abraço, uma lágrima e o caminho que trilhou para a cura de sua alma.

A culpa não é sua não é, no entanto, uma obra que se propõe a abordar o problema do abuso a partir da perspectiva psicoterapêutica, uma vez que a autora não possui formação na área. É, isto sim, uma obra escrita por uma amiga que entende o problema da leitora, oferece conselhos e compartilha um pouco da própria experiência, a fim de contribuir com a restauração de vidas dando aquilo que de mais precioso um cristão pode oferecer a quem sofre: afeto, carinho, amizade, graça, amor. É o que você encontrará nas páginas a seguir.

Se você é uma vítima de abuso, a autora e a Editora Mundo Cristão recomendam que procure o auxílio necessário junto a profissionais das áreas especializadas, sejam psicólogos, sejam psiquiatras. Também é importante buscar amparo espiritual junto aos seus pastores. E, enquanto você faz isso, Fabiola quer que você saiba que não está só. E ela se oferece para, ao longo deste livro, se posicionar como amiga. Uma amiga que lhe diz: "Segure a minha mão e caminhemos, juntas, segurando a mão de Cristo. Eu prometo não soltá-la. E tenho absoluta certeza de que ele também não nos soltará".

Boa leitura!

O EDITOR

PREFÁCIO

Fabiola Melo vem fazendo um lindo trabalho para Deus. Ela usa recursos tecnológicos, em um cenário descontraído, com uma linguagem apropriada ao seu público, com seu jeito muito lindo de ser. Porém, em meio ao riso, ao bom humor e à comunicação cativante, há algo que somente o Senhor conhecia até bem pouco tempo atrás: uma dor calada da alma, uma súplica do não dito no momento da dor, remetida às memórias recalcadas do inconsciente.

A Bíblia traz uma revelação fantástica do cuidado profundo de Deus com a nossa alma: "Louvarei o SENHOR, que me guia; mesmo à noite meu coração me ensina" (Sl 16.7). O Eterno, que perscruta as profundezas no nosso ser, é Senhor do tempo e do espaço e sabe exatamente o momento propício de trazer à tona as memórias que estão escondidas em meio às sombras. Ele lança luz sobre a escuridão das palavras perdidas para que a construção dos sonhos insista em dar um sentido real à linguagem da dor. Os sonhos não falavam de restos do dia ou fantasias oníricas: a linguagem simbólica trazia uma realidade profunda, que emergia das angústias e dores de vivências reais ocultas na história da autora.

O Espírito Santo estava ali para cuidar da alma de Fabiola enquanto as lembranças emergiam. Era preciso dar direito de passagem para as memórias dolorosas, a fim de desobstruir o fluxo das emoções. Deus tinha muito mais para o já tão abençoado ministério da autora, e queria conduzi-la a patamares mais profundos, como instrumento de cura para um imenso número de pessoas que trazem as mesmas dores e angústias retidas, distorcendo comportamentos, afetando o valor pessoal e a identidade, além dos sintomas depositados no corpo que denunciam as dores da alma.

Toda dor não transformada em palavras comparece no corpo como sintoma. A história de dor de Fabiola é transformada em ministério, para além de tudo o que ela já fizera até agora, em uma profunda ressignificação efetuada pelo Espírito Santo de Deus. Os depoimentos ao final dos capítulos deste livro apontam nessa direção.

Neste livro, a história de dor se transforma em vida e esperança. Há vida após o abuso! O corpo ferido e o sangue vertido trouxeram uma nova identidade: filha amada — uma nova vida. Há esperança de cura e dignidade! Sim, as palavras que fluem deste livro apontam o caminho para receber o direito de ser filha amada e curada pelo Pai.

ILMA CUNHA
Psicanalista, terapeuta familiar e escritora

INTRODUÇÃO

Abuso não é um problema novo. Porém, até muito pouco tempo atrás, quase não se falava abertamente sobre o assunto. Hoje, embora cada vez mais as pessoas estejam discutindo sobre esse mal, ainda não estamos falando o suficiente. Tampouco estamos ouvindo o suficiente. Recebo diariamente muitos pedidos de socorro de garotas aprisionadas por dor, sofrimento e culpa em razão de abusos sofridos. Este livro é uma resposta a elas, uma contribuição para levar pessoas que guardam gritos em seu silêncio a encontrar um chão firme em que pisar. Se você é das que clamam por ajuda junto a uma multidão surda, em razão de abusos sofridos ou que ainda sofra, peço que mantenha a calma e seja forte, pois existe uma luz no fim do túnel. Meu objetivo aqui não é enveredar por áreas em que não tenho especialização, como a psicologia, mas dar uma contribuição pessoal, como uma amiga que compartilha da sua dor e chora as suas lágrimas. Nada neste livro substitui o auxílio terapêutico para quem ele for indicado, e deve ser buscado junto a profissionais qualificados.

Toda criança já ouviu a pergunta: "O que você quer ser quando crescer?". Essa pergunta mostra que começamos a ser questionados a respeito de nossa identidade já na fase em que ela está sendo formada. Pode-se levar uma vida inteira para perceber que a maior evolução que somos capazes de experimentar não é a da construção, mas a que começa na desconstrução do nosso ser.

Viver é como fazer um castelo de cartas: o prazer não está necessariamente em concluir a construção, mas em posicionar de forma equilibrada carta a carta — o que, em contrapartida, pode ser tenso e angustiante. Satisfação de verdade é, com um simples toque proposital, abalar a estrutura e assistir ao belo castelo se desfazer em um segundo. A não ser, claro, que ele desmorone antes do tempo e de forma inesperada. Nesse caso, é frustração na certa.

Todo ser humano forte tem ao menos um ponto fraco. Em algum momento da vida, veremos tudo desabar. Não há como evitar. Simplesmente acontece. Entretanto, temos o poder de decidir como nos posicionaremos diante disso. Assistiremos com satisfação ao nosso processo intencional de desconstrução? Ou seremos surpreendidos pela frustração quando um problema inesperado nos derrubar?

Quando a vida desmorona, ficamos em ruínas. No entanto, isso abre a possibilidade de recomeçar. Permitir-se desconstruir é trazer à tona quem eu *não* sou a fim de provocar quem eu posso me tornar.

Já experimentou falar em voz alta tudo o que você *não* é? É libertador! Você deveria tentar. Por exemplo, eu não sou blindada: tenho medos e inseguranças, como qualquer pessoa. Não sou inabalável: tenho crises e, às vezes, parece que é para sempre. Não sou focada: toda semana me torno vegetariana e, logo depois, traio meu novo estilo de vida. Não sou obstinada: se rabisco num guardanapo, decido que quero ser artista plástica; se compro roupa de academia, decido que quero ser atleta; se faço um sanduíche, já quero me inscrever no *MasterChef*. Lembro de quando saltei de paraquedas pela primeira vez. Fiquei tão empolgada que disse com toda convicção ao meu marido: "Descobri a minha vocação! É isso! Sinto que nasci para ser paraquedista! Esta semana mesmo farei um curso!". No mesmo dia, pesquisei os valores do curso e o meu entusiasmo foi pelos ares.

Apesar de ter consciência de tudo o que não sou, reconhecer minha limitação não me frustra, mas me traz esperança para confiar a minha vida nas mãos do meu sustentador. Quando Deus assume o controle da nossa vida e tudo o que somos se firma em tudo o que ele é, ganhamos nova identidade. Passamos não mais a viver por nós mesmas, mas Cristo começa a viver em nós. Se, antes, você se considerava uma perdedora, em Cristo você é mais que vencedora! Se, antes, você se enxergava perdida, em Cristo você tem a chance de ser resgatada!

Caso você seja vítima de algum tipo de abuso, saiba que eu realmente me importo com a sua dor. Acredito na sua versão dos fatos. Sei que você pensa que não vai conseguir, que chora a madrugada inteira e, pela manhã, coloca um grande sorriso no rosto e sai de casa. Não precisa se sentir "defeituosa" por conta disso. Tudo bem não estar bem, desde que você não se acostume com isso.

Tenho plena convicção de que, quando estamos com medo, segurar a mão de alguém ajuda, mesmo que seja uma pessoa que está com tanto medo quanto você — e, às vezes, até mais. Então, enquanto você lê este livro, imagine que está segurando a minha mão.

Escrevo este texto com você em mente. Fico tentando imaginar o seu rosto enquanto lê estas palavras. Tento pensar se você está nervosa, apreensiva e ansiosa por esta leitura. Será que está com um aperto no coração, cheia de expectativas, torcendo que esta leitura a faça sentir-se melhor? Estou aqui, mas penso se você, aí, começou a ler esta obra em busca de um antídoto que a faça esquecer o passado. Talvez você já tenha tentado outros meios, livros e pessoas... e nada adiantou!

Pensar em tudo isso me faz cogitar se estou pronta para você. É quando me dou conta de que nunca estarei pronta, mas o Pai, o Filho e o Espírito Santo sempre estão prontos para agir. Este livro e o impacto que ele terá em sua vida, assim como tudo o que eu sou e faço, em essência não dependem de mim. Eu, Fabiola, sou um mero instrumento, um simples vaso de barro que contém um grande tesouro: o Espírito Santo de Deus. Sempre que me recordo disso, encho-me de coragem, e essa sensação me faz sentir extremamente capaz de realizar aquilo que há pouco me aterrorizava.

Essa confissão é, na verdade, a primeira lição que desejo compartilhar com você: o caminho da superação do abuso — e das consequências dele — é cheio de desafios. Nessa jornada, o medo e a insegurança a farão crer que você não está pronta para encarar toda a sua bagunça emocional. Talvez você creia que não é o momento de "mexer" no passado. É verdade que, quanto mais se revira o lixo, mais ele cheira mal, e isso é torturante, mas somente quando não se tem um propósito. Revirar o lixo apenas por revirar não é o nosso objetivo. Vamos juntar todo o lixo, mas para nos desfazermos dele. A solução não é ignorá-lo, nem remexê-lo sem razão, mas, sim, retirá--lo de forma totalmente intencional até que haja espaço para recomeçar.

Não se preocupe com estar pronta. Você nunca se sentirá realmente pronta para fazer coisas difíceis. A boa notícia é que você não precisa estar pronta, segura e confiante para enfrentar as grandes barreiras da vida. O meu conselho, que ponho em prática ao escrever este livro, é: vá em frente! Mesmo com medo, vá! Coragem não é a ausência de medo, mas a decisão de se mover apesar dele. Portanto, acredite, você *não* é covarde.

Para ilustrar melhor os assuntos abordados ao longo deste livro, ao fim de cada capítulo compartilho o testemunho de meninas que passaram por situações de abuso e concordaram em me enviar seus relatos.

Eu disse no começo deste texto que existe uma luz no fim do túnel para quem sofreu ou sofre abusos. E essa luz é Jesus: a Luz do mundo.

Segure a minha mão e, juntas, caminhemos segurando a mão de Cristo. Eu prometo não soltá-la. E tenho absoluta certeza de que ele também não nos soltará.

1

AS FACES
DO ABUSO

*Você pode estar no buraco agora,
então aprenda a lição dos buracos:
pare de cavar.*
JB Carvalho

Vítimas de abuso geralmente acreditam que precisam esconder do mundo suas fragilidades, a fim de não serem devoradas por rejeição, julgamentos ou exposição. O medo de serem diaceradas pela dor e por aqueles que a causaram as leva a viver em um esconderijo de mentiras. Se, diante do perigo, um animal indefeso fica dividido entre lutar, paralisar ou correr, a vítima de abuso costuma reagir da mesma maneira. Seja enfrentando o problema, seja deixando de esboçar qualquer reação, seja mantendo-se indiferente, as três formas de agir concentram a batalha na figura do inimigo: o abusador.

Eu poderia ajudá-la a elaborar um plano de vingança, se eu acreditasse que essa é uma solução válida, mas isso nem de longe é o caso. Também poderia recomendar-lhe que nunca mais confiasse em ninguém, blindando-se contra o risco de se machucar, mas não acredito que a solidão traz felicidade. O que desejo realmente é ajudá-la a encontrar o verdadeiro caminho da cura.

A verdade é que, por mais que o abusador seja o grande responsável por toda a sua dor, ele não é de fato o maior inimigo. Não diminuo de modo algum a culpa que ele tem, mas retiro das mãos dele qualquer autoridade sobre você. Quando você para de se concentrar em quem a feriu, consegue se concentrar em suas feridas.

Se você sofreu ou sofre abuso, saiba que seu maior problema não é a dor que sente, mas, sim, *como você reage a ela*. O abuso é a picada da cobra, mas o que vem com ela é o veneno: a depressão, a compulsão ou a frieza sexual, os distúrbios alimentares, a autodepreciação, o medo de se envolver em relacionamentos, a perda da identidade e o ódio crescente. Esses são seus verdadeiros inimigos. A consequência da sua dor é o veneno que corre em sua alma, matando lentamente cada célula de esperança.

Você pode escolher se vingar da cobra, mas isso não vai retardar ou eliminar o efeito do veneno. Do mesmo modo, viver em função da dor, ou simplesmente ignorá-la, sem tratá-la, não vai impedir que ela mate você aos poucos.

ABUSO: PESADELO DA VIDA REAL

Quero lhe dizer que também sofri abuso, por isso, falo com conhecimento de causa. Permita-me contar-lhe a minha história.

Tudo começou quando, já adulta, tive três sonhos sobre essa questão em uma mesma semana. E isso mexeu muito comigo. No primeiro sonho, eu estava no banheiro de uma igreja e três rapazes, cujos rostos não me lembro, forçavam a porta para entrar. Eu sabia que eles queriam me estuprar. No sonho, eu me desesperava e ficava empurrando a porta com toda a minha força para que eles não entrassem. Eu não me lembro de como terminou, se eles entraram ou se eu saí. O sonho acabou nisso.

O segundo sonho ocorreu na casa de uma amiga. Eu estava quase dormindo, com meu marido, Samuel, ao lado. De repente, olhei em direção à porta do quarto e vi uma sombra, como se fosse a silhueta de um homem. Eu achava que era a sombra de um casaco pendurado na porta. Lembro de pensar que a primeira coisa que faria pela manhã era me certificar de que havia um casaco preto naquela porta, só para ficar tranquila e saber que aquilo não era coisa da minha cabeça. Fui dormir com esse pensamento.

Naquela noite, eu tive um pesadelo: sonhei que uma sombra escura, como a silhueta de um homem, estava deitada sobre mim, segurando meus braços. Eu não conseguia me mexer, estava imobilizada por ele, que começava a me beijar por todo o corpo e a me lamber. Eu sentia nojo. Queria gritar, mas não conseguia. A sensação era horrível, de opressão e repulsa. Eu me senti tão indefesa, tão impotente! E o sonho acabou. Quando acordei pela manhã, ainda lembrei de procurar o tal casaco pendurado na porta, mas... não havia casaco algum. Não havia nem mesmo um gancho ou algo em que se pudesse pendurar um casaco. Aquele sonho parecia uma experiência real com algo maligno.

O terceiro sonho foi de longe o mais confuso dos três. Sonhei que estava em uma igreja onde meu pai fora pastor por nove anos, em uma cidade chamada Icó, no Ceará. Eu me via com cerca de 9 anos, e estava usando um vestido sem mangas, cor de laranja, e botas de cor bege que iam até a metade da perna. Nesse sonho, eu estava no refeitório e abraçava um membro da igreja, um homem que desfrutava da total confiança de meus pais. No sonho, eu corria até ele e o abraçava, porque, para mim, ele era meu amigo.

Em determinado momento, antes de eu entrar no prédio da igreja, aquele homem puxou assunto sobre alguma coisa de que não me recordo e, enquanto conversávamos, caminhávamos sem rumo. Ao atravessar o estacionamento, ele pôs o braço esquerdo por cima do meu ombro e deslizou a mão, tocando o meu seio. Em seguida, o toque ganhou movimentos circulares. Não sei explicar como não reagi, mas era como se, naquele instante, eu não enxergasse maldade no que ele fazia. Daquele momento em diante, eu não me recordo de mais nada. Uma escuridão preencheu o espaço de tempo e apenas me recordo de estar voltando para a igreja.

Quando acordei, senti uma enorme angústia tomar conta de mim. Ao longo do dia, fui me sentindo mais e mais sufocada e triste por algo de que não me lembrava. Até que, finalmente, enquanto eu organizava minha mesa de estudo, aos poucos *flashes* do sonho foram surgindo. Entendi que aquela angústia era decorrente do pesadelo da noite anterior. Conforme eu me recordava dos detalhes do sonho, um sentimento estranho crescia dentro de mim. "Não foi um sonho", pensei comigo. "Aconteceu de verdade... não foi um sonho", eu chorava enquanto lembrava de cada detalhe novamente.

Escrever tudo isso ainda mexe comigo. Se você me perguntar se eu me sinto curada dessa dor, afirmo com segurança que sim. Jesus me curou do rancor e da amargura, mas é inevitável derramar lágrimas ao imaginar que muitas meninas estão aprisionadas.

Abuso sexual

Vejo, com frequência, meninas que não sabem identificar o que aconteceu com elas como alguma forma de abuso. Por essa razão, gostaria de compartilhar informações esclarecedoras acerca do que, exatamente, é abuso sexual.

Segundo o psiquiatra especializado em abuso sexual Dan Allender, autor do livro *Lágrimas secretas: Cura para as vítimas de abuso sexual na infância*,* abuso sexual é mais do que a frágil noção que muitas pessoas têm. Todo abuso é uma violação da alma humana, que causa muitos danos, ainda que em níveis distintos.

Todo abuso causa danos, mas, quando é cometido por um membro da família ou alguém de confiança da vítima, o estrago tende a ser maior. As sequelas do abuso são influenciadas por fatores como: idade da vítima, número de vezes em que aconteceu, nível de severidade e o tipo de laço sentimental entre vítima e agressor.

As estatísticas mostram que o abusador geralmente é alguém conhecido e importante para a vítima, como alguém dentro da igreja, um parente ou um vizinho. Ele pode ser mais velho ou ter uma idade próxima da vítima. Embora a maioria dos abusos seja cometida por adultos do sexo masculino contra meninas, também pode ocorrer por parte de mulheres e, em ambos os casos pode foçar-se em meninos e/ou meninas.

O abuso é caracterizado por qualquer forma de violação, desde o olhar insinuante de um estranho até uma relação sexual provocada sem consenso mútuo. Em graus diferentes, tais ocorrências causarão impactos na alma da vítima, pelo simples fato de ir contra o que Deus planejou.

É importante sublinhar que nem todo abuso sexual envolve contato físico. Qualquer comportamento ou atitude que passe uma mensagem de que "o seu corpo não é

---

* São Paulo: Mundo Cristão, 1999.

apenas seu", ou seja, que ultrapasse os seus limites, é tão danoso quanto a forma de abuso que envolve toque e invasão do corpo alheio. Meninas em fase de desenvolvimento que se sentem violadas por olhares indiscretos e perguntas sugestivas a respeito de sua sexualidade, por exemplo, estão sofrendo abuso sexual. E essas situações aparentemente mais "leves" abrem espaço para investidas mais severas.

Outra violação de limites vivenciada na infância é a inversão de papéis. Quando uma criança é levada a assumir o papel de um dos pais, tornando-se uma "pequena adulta", ela passa a se ver na obrigação de não demonstrar fraqueza. Isso aumenta o problema porque, caso venha a sofrer abuso, a criança se sentirá no dever de lidar, sozinha, com aquele problema, sem sequer confidenciar o que lhe aconteceu. Assim, quando um dos pais delega ao filho ou à filha deveres do outro cônjuge — como o papel de confidente, aliado a títulos como "meu companheiro" ou "amor da minha vida" — ou quando existe um ambiente de frieza, dureza e ausência de afeto, a criança se torna vulnerável. E, com isso, está montado o cenário perfeito para uma possibilidade de abuso.

O abuso por contato físico se dá quando o agressor: beija com conotação sexual; toca sensualmente em partes específicas do corpo da criança, como nádegas, coxas, pernas, seios e genitais (ainda que por cima da roupa); faz toque manual ou penetração (forçada ou não) na vítima; simula relação sexual com a vítima ou dá ou recebe sexo anal ou oral (forçado ou não). É importante saber que, ainda que você acredite não ter sido obrigada, pode ter sido levada a consentir por algum tipo de coação ou manipulação.

Além do abuso por contato físico, também é caracterizado abuso sexual determinados tipos de interações psicológicas. Por serem pouco mencionadas, essas ocorrências são bastante negligenciadas. Muitas vítimas vivenciam um processo de cura bem mais difícil quando os danos vêm de abusos disfarçados ou subliminares, ao contrário de vítimas que sofreram abusos severos, mas identificaram o problema antecipadamente.

As interações sexuais também podem ser verbais. Por exemplo, se alguém da sua família a observa de cima a baixo e faz comentários constrangedores, como: "*Ah*, se eu fosse alguns anos mais jovem" ou "*Uau*, que corpo você está ganhando, hein?". O abuso verbal também ocorre quando o agressor convida a vítima para atividades sexuais ou lhe descreve práticas sexuais ou, ainda, faz uso contínuo de linguagem ou termos sexuais nos diálogos com a vítima.

Interações sexuais visuais são igualmente danosas. Aqui se encaixam situações como quando o agressor apresenta à vítima ou usa diante dela elementos da pornografia; expõe relações sexuais ou órgãos genitais (ainda que para trocar de roupa ou tomar banho); mostra material sexualmente provocativo (como roupas íntimas ou brinquedos eróticos); olha de maneira inadequada para partes do corpo (cobertas ou não) da vítima ou observa peças de roupas íntimas da vítima com propósito de excitação sexual. Uma menina me relatou, por exemplo, que seu pai sempre arranjava uma desculpa para pegar algo dentro do banheiro no momento em que ela estava tomando banho, o que a fazia sentir-se muito mal.

Já as interações sexuais psicológicas ocorrem quando o agressor ultrapassa os limites físicos e sexuais da vítima; mostra interesse exagerado na menstruação, nas roupas e na maturidade sexual da vítima ou faz uso contínuo de medicamentos introduzidos pelo reto da vítima. Um exemplo de interação sexual psicológica é o de uma mãe que sempre compartilhava com o filho adolescente detalhes sobre a vida sexual com o pai, buscando consolo ou conselhos, o que claramente viola as barreiras naturais de mãe e filho.

Essas explicações são necessárias para que você saiba se o que sofreu foi um abuso sexual. Mas, caso perceba que se tratou mesmo de abuso, tenha a certeza de que a agressão que você sofreu na igreja, em casa, na escola ou no trabalho não determinará o seu futuro. Existe esperança!

O QUE NÃO DIZER A UMA VÍTIMA DE ABUSO

Deus sonda e conhece o nosso coração. Melhor do que nós mesmas, ele sabe onde dói e tem todo o conhecimento para sarar a nossa alma ferida. A maioria das pessoas, porém, não tem essa capacidade. Pode ser que você esteja tentando encontrar maneiras de ajudar uma amiga, um amigo ou um parente, mas bons conselhos não são formados por boas intenções. Muitas vezes, na intenção de ajudar, acabamos dizendo algo que não ajuda nada, por isso, fique atento para jamais dizer a alguém que sofreu uma agressão sexual uma das afirmações a seguir. A partir de tudo o que já li em livros especializados e de minhas reflexões, acredito que dizer tais coisas não farão bem algum.

"Você tem de esquecer isso!"

Para o bem ou para o mal, o ser humano não vem de fábrica com um botão onde se lê "aperte aqui e apague automaticamente todo o histórico do seu coração". Dizer a uma vítima de abuso que ela deveria simplesmente esquecer tudo de ruim que a faz sofrer só a deixará mais frustrada, porque esse é um conselho impossível de seguir.

O que uma vítima de abuso precisa é de cura, não de amnésia. Superar um problema não significa esquecer que ele aconteceu. Essa superação tem a ver com você não se deixar travar pelo que aconteceu. Certas dores jamais serão esquecidas, entretanto, chegará um dia em que elas não ditarão mais os seus passos.

"As coisas velhas se passaram e tudo se fez novo"

Essa afirmação bíblica é linda e se aplica corretamente no que se refere à conversão de um cristão. Porém, ela não é válida, necessariamente, para um caso de abuso sexual. Muitas vítimas, mesmo após receberem a cura, ainda precisarão lidar com os efeitos do dano ao qual foram expostas.

Reconhecer os danos na alma não significa que a vítima está renegando a cura ou as boas-novas de Jesus, mas, simplesmente, que está assumindo o seu real estado para receber o verdadeiro tratamento em Cristo. Negar os fatos retarda o trabalho de recuperação. Um exemplo disso são pessoas que, fingindo não ter problemas causados por abusos sofridos no passado, vivem de forma teatral. O problema é que, em algum momento, elas certamente vão explodir.

"Você tem de perdoar o seu abusador"

O perdão nunca deve ser imposto e cada pessoa tem o seu tempo. Hoje eu posso dizer que perdoei o meu abusador e isso foi resultado de um longo processo de imersão no amor de Deus. Mas sugerir a uma vítima de abuso que ela deve se apressar em perdoar o seu abusador ou sutilmente aconselhá-la a não denunciar o abuso é semelhante a abusar dela novamente.

A frase que uma vítima mais ouve de seu abusador é: "Não conte a ninguém!". Qualquer tentativa de silenciar uma vítima é também uma forma de replicar o abuso contra ela. Já ouvi sobre casos em que a pessoa agredida procurou a justiça e por isso sofreu tremendo julgamento, sob a alegação de que seu comportamento era vingativo e não motivado pelo amor. E isso é um absurdo! Quando alguém bate em seu carro e se recusa a pagar, você não vai à justiça? Então por que seria biblicamente correto recorrer à justiça por danos materiais, mas errado quando os danos são causados à alma?

Embora seja fundamental e indispensável que a pessoa que sofreu abuso perdoe seu abusador, isso jamais deve ser uma imposição.

"A Bíblia diz para amarmos os nossos inimigos"

Se uma vítima não quer reatar o relacionamento com seu abusador, tendo em vista anos de abuso, de maneira alguma ela deve ser constrangida a conviver com o agressor se não apresentar condições de fazê-lo. Algumas pessoas voltarão a reatar o relacionamento com seus agressores e outras jamais o farão. Usar argumentos bíblicos para forçar alguém a conviver com quem o feriu não é uma boa atitude.

"Ainda bem que foi só isso"

Não é raro uma menina que sofreu abuso sexual ouvir comentários do tipo: "Ele tocou seu seio? Ainda bem que não tocou lá embaixo!"; "Ele tocou lá embaixo? Ainda bem que não a obrigou a tocá-lo também"; "Ele a obrigou a tocá-lo lá embaixo? Ainda bem que não houve relação sexual"; ou "Ele a forçou a ter relação sexual? Ainda bem que não foi alguém da sua família".

Não sei como esse tipo de afirmação pode fazer alguém se sentir melhor. Entenda que não existe lado pior ou melhor em um abuso. Ainda que para alguém que está de fora uma penetração genital seja muito pior do que carícias forçadas nos seios, para a vítima não é. Não se pode comparar a minha dor com a de outra pessoa e tentar estabelecer qual é a menor das duas.

Uma vítima de abuso não lida com a sua dor comparando-a com a dor de terceiros. Ela só sabe como é sentir a própria dor. Usar expressões como "menos mal", "ainda bem" ou "olhe pelo lado bom" definitivamente não ajuda em nada. A intenção pode ser a de amenizar a gravidade do abuso sofrido, mas, no final, não ameniza.

"Ele errou, mas não significa que é mau"

Muitas são as justificativas que alguns tentam encontrar para o agressor e seu crime, como: "Ele deve ter sofrido abuso na infância"; "Ele está passando por momentos que deixariam qualquer um fora de si"; "Ele estava atravessando uma crise no casamento e se sentia solitário"; "Ele já fez tantas coisas boas pelas pessoas, como você pode culpá-lo por uma única falha?" ou "Você supera logo, mas ele é importante na igreja e toda a família dele ficaria devastada". Chega de acobertar abusadores disfarçados de "boas pessoas" ou de "homens de Deus". Além de o abuso sexual infringir as leis civis, também fere as leis de Deus. Não é a vítima que precisa silenciar; é o abusador que precisa ser contido.

"Você precisa de uma oração forte o bastante"

O psiquiatra Dan Allender explica que curas rápidas nunca resolvem problemas profundos. Os danos causados pelo abuso não atingem apenas a área espiritual. Então não sugira que determinada pessoa não superou as consequências do abuso porque ainda não recebeu uma oração forte o bastante. Se os âmbitos emocional e psicológico da vítima foram abalados, eles também precisam de cuidados.

Eu creio firmemente na oração como caminho para trazer paz e alívio à alma, assim como também creio no poder de Deus expresso na sabedoria derramada sobre profissionais da área da psicologia, que se dedicam anos a fio para tentar entender como o nosso cérebro funciona diante do sofrimento. Eu posso estar bem espiritualmente, mas frágil emocionalmente. O acompanhamento psicológico deve ser considerado também como um dos meios do favor de Deus para o homem.

"SOU VÍTIMA DE MUITOS TIPOS DE ABUSO"

O primeiro abuso que sofri partiu da pessoa que mais devia me proteger, me guardar e me fazer sentir segura: minha mãe. Cresci desde muito pequena acreditando que era adotada, pois era perceptível a diferença de tratamento infligida a mim e a minha irmã, o que me fazia sentir uma intrusa. Minha mãe dizia que não tinha foto grávida de mim, que eu não tinha nascido dela, que ela só tinha uma filha. Muito depois descobri que eu havia sido enganada e que era filha biológica dela. Foi quando vivi o pesadelo maior.

Eu ouvia que era um erro, que eu só tinha nascido por conta de uma maldita pílula que minha mãe havia esquecido de tomar e que ela não queria uma menina e, sim, um menino. Então, durante muito tempo, eu tentei agir como um menino, a fim de ser vista por ela. Quando percebi que não funcionava, comecei a agir de outras formas, afinal havia crescido sendo comparada com minha irmã mais velha, que recebia todos os elogios de minha mãe.

Eu desenvolvi déficit de atenção e, também, uma enorme necessidade de me sentir aceita. Queria ser vista, amada, notada. Meu *hobby* era mudar de escola: passei por doze delas. Fui reprovada três vezes, e sempre minha mãe fazia questão de me mostrar o fracasso que eu era. Passei por milhares de aulas de reforço escolar.

Eu aprontava o dia inteiro, a fim de ser percebida. Minha mãe tinha um cinto especial, reservado exclusivamente para me bater — sem direito a choro. Ela dizia que me espancava porque me amava, o que me enchia de ódio e abria um buraco sem tamanho em meu ser. Perdi a conta de quantas vezes apanhei a ponto de ficar roxa e ter de usar calças para ninguém ver as marcas do cinto ou precisar mentir, dizendo que havia caído ou coisa do tipo.

A raiva maior era que os pastores ainda vinham e defendiam minha mãe. Ninguém nunca parecia entender meu lado, o que acontece ainda hoje. Meus pais são totalmente arbitrários. Cresci ouvindo que eu não ia prestar e que me tornaria uma vagabunda. Ouvi coisas como: "No dia em que eu não aguentar mais você, vou jogá-la no juizado de menores e, se eles não a aguentarem lá, eu não estou nem aí para o que vão fazer com você".

Eu quis fugir de casa muitas vezes. Tentei suicídio mais de uma vez. Realmente acreditei que minha vida não tinha valor. Passei a ter problemas de autoimagem, depressão e por aí vai. Por conta de tudo isso, acreditei que não merecia ser amada e que as pessoas só iam me usar e me machucar, porque foi isso que muitos "amigos" fizeram.

Mas o pior estava por vir. Aos 18 anos, tive um namorado e achei que realmente tinha encontrado o cara certo. Era filho de pastor e me prometia o céu. Era uma pessoa que me passava uma segurança que eu jamais havia sentido. No começo do relacionamento era tudo lindo, mas, depois de cinco meses, as mãos começaram a descer e, quando vi, estava fazendo sexo oral nele — não necessariamente por querer, mas para satisfazer a pessoa que me dava tudo de que eu precisava.

Eu não tinha nenhuma dúvida de que ele me amava. No meio de tudo isso, tive minha primeira vez. Foi meio forçado e, por isso, foi horrível. Eu pedia a ele que parasse, mas ele não parava, a ponto de eu começar a chorar. Depois disso, descobri que estava grávida. Quase enlouqueci, pois tinha mil motivos para não querer a criança!

Foi mais de um mês de pressão psicológica para que eu abortasse. Eu era chamada de egoísta, ouvi que acabaria com minha vida, que prejudicaria a vida de muitas pessoas, que o feto ainda não era uma vida, mas só uma bola de sangue. Mas eu sentia uma vontade incontrolável de proteger meu filho.

Eu estava no ano do vestibular e me recuperando de uma cirurgia no joelho. Minha mãe convivia com uma depressão, minha avó estava muito doente e eu me sentia encurralada. O que me fez decidir pelo aborto foi a atitude de meu namorado. Quando ele pegou na minha barriga, e eu disse: "Seu filho", ele retrucou: "Meu não, isso não é meu, pode ser seu". Foi a pior decisão da minha vida! Já com três meses de gestação, optei por abortar o bebê. Descobri que meu namorado já havia forçado outra garota a isso, e fizemos sozinhos, tomando um medicamento abortivo.

Quase morri. Passei sete horas sofrendo. Perdi todas as minhas forças, vomitei tudo o que tinha e o que não tinha dentro de mim, sangrei muito e sofri muitos efeitos colaterais. Meu ex-namorado entrou em pânico, pois não aguentava me ver sofrendo sabendo que tudo havia sido causado por ele. No dia seguinte, ele viajou, e fiquei sofrendo sozinha. Cerca de um mês depois, aquele homem terminou comigo, e entrou em depressão profunda.

Foi quando eu descobri que aquele processo havia causado estragos no meu útero, no reto, na bexiga e na vagina. Com isso desenvolvi vaginismo. Ninguém sabia; e eu sofria calada. Meu ex-namorado contou para o pastor dele e para o pai, que não fizeram nada a respeito. Acabei desabafando com uma amiga, que acabou contando para outras pessoas e, em pouco tempo, muita gente de minha cidade estava sabendo.

Foi quando conversei com os pastores e recebi o acolhimento necessário. Em meio a todo meu sofrimento, meus pais também não me entendiam. Sinceramente, não sei como mantive minha saúde mental nesse processo todo. Passei a ser seguida por meu ex-namorado, que começou a fazer chantagem emocional, um horrível sentimento de posse, como se eu fosse sua propriedade.

Corro o risco de nunca poder ser mãe. Ainda tenho muitas complicações psicológicas decorrentes de todos os abusos que sofri, como achar que todo mundo quer me machucar, que não mereço ser amada, que sou gorda e feia e que a culpa de não ser amada é minha.

Até hoje, nunca tinha parado para pensar na série de abusos que sofri e ainda sofro, desde abuso emocional ao sexual. Já tentei amar novamente, mas, quando começo a querer abrir-me, fecho-me imediatamente. E isso me fez perder pessoas extraordinárias.

2

A CULPA É UMA PRISÃO INJUSTA

A minha consciência tem milhares de vozes,
e cada voz traz-me milhares de histórias.
E de cada história sou o vilão condenado.
WILLIAM SHAKESPEARE

Vocêjá brincou de polícia e ladrão? É um tipo de pega-pega de crianças em que o time de "policiais" tem de perseguir o de "ladrões" e, quando alguém consegue encostar no outro, o perseguido tem de ficar sentado em um canto, fora do jogo, "preso". Agora, imagine uma brincadeira do tipo em que você é constantemente perseguida por si mesma. Assim é a culpa: ela põe você contra você, aprisionando a pessoa mentalmente. É comum que vítimas de abuso encontrem diferentes motivos para se culpar, ainda que lhes seja reafirmado que a culpa não é delas.

A culpa funciona para a vítima de abuso como uma prisão injusta da qual ela mesma é portadora da chave. É necessário ter coragem para ir adiante e se libertar. Não se permita ficar presa injustamente por uma culpa que não é sua.

FALSAS JUSTIFICATIVAS

Gostaria de compartilhar, a partir da leitura de livros especializados no assunto, algumas falsas justificativas adotadas por grande parte das vítimas de abuso que se declaram culpadas ou, pelo menos, responsáveis em algum grau pelo ocorrido.

"Eu causei isso tudo"

O abuso promovido por um vizinho é tão danoso quanto o causado por um parente. Entretanto, a culpa da vítima costuma se manifestar com mais frequência quando o agressor é alguém da família. Afinal, é extremamente dolorido aceitar a ideia de que uma pessoa que deveria proteger seus sonhos foi o seu pior pesadelo.

Muitas vítimas tomam para si a culpa do abuso porque sofrem, por exemplo, com a ideia de que o próprio pai é um indivíduo doentio. "Ele é um homem trabalhador e esforçado. Se chegou a fazer isso é porque o meu comportamento errado o levou a isso", dizem muitas vítimas.

Não aceite estar em uma prisão pagando por algo que você não cometeu. A sua necessidade era de amor acolhedor. Você buscava colo e amparo, e não um toque violador.

"Eu podia ter evitado"

Independente da idade que você tinha quando sofreu abuso, é pouco provável que tivesse de fato a chance de ter evitado. Uma criança não consegue diferenciar, como o adulto, quando um toque é apropriado ou não.

A criança tem a necessidade de ser amada e apreciada. Ainda que um toque viole sua pureza e desperte nela o sentimento de que "algo está estranho", ela logo se deixa levar quando vem à tona o sentimento de estar sendo "cuidada e bem tratada". O afeto do agressor tira da criança a condição de perceber o avanço do abuso. Há relatos de casos terríveis, nos quais o abusador ofereceu afeto antes ou depois do abuso, confundindo as emoções da vítima.

Uma vítima de abuso me escreveu um *e-mail* relatando que, quando tinha 4 anos, foi horrivelmente estuprada pelo próprio pai, que, após o ato, a envolveu em seus braços e cantou uma música de ninar. A menina odiava o pai, mas odiava mais a si mesma por se deixar acalentar por alguém capaz de fazer algo tão monstruoso contra ela.

Se algo assim lhe ocorreu, entenda que você não era capaz de identificar as más intenções de seu agressor. Antes, você era semelhante à terra rachada pelo calor do sol que, ao receber gotas de água, rapidamente as suga para si. O seu desejo era ser cuidada, abraçada e amada, nunca usada e violada.

Portanto, não se culpe por sua necessidade inocente de afeto. Você era só uma criança. Você não tinha como saber, nem como evitar.

"Eu não era tão inocente assim"

Esse tipo de justificativa é comum em quem não foi abusado na infância. Apesar de uma adolescente de 14 anos saber a diferença entre um afago e um toque sexual, é possível que ela não saiba mensurar os danos causados por um toque indevido.

Um adulto, com seu senso de perigo formado na maturidade, tem mais condições de fugir de situações de risco; já adolescentes podem facilmente negligenciar a sensação de perigo por medo de reagir, tornando-se, assim, tão vulneráveis quanto crianças.

Adolescentes que têm um relacionamento instável e frio em casa são vítimas em potencial das investidas de um primo, tio ou professor que ofereça a menor menção de acolhimento.

Foi o caso de uma garota que sofreu abuso do tio, conforme relato do livro *Lágrimas secretas*. Ele ganhou a confiança dela permitindo-lhe dirigir com frequência seu carro novo. Por ser menor de idade, ela não deveria dirigir, mas ele lhe ofereceu a chance de se sentir adulta, desde que aquele fosse o segredo deles.

O relacionamento complicado dela com os pais fazia aqueles momentos parecerem felizes e seguros, afinal, a jovem podia experimentar a liberdade de não ser tratada como criança. A cada encontro, o tio agressor avançava mais, até que chegou ao abuso. Nesse momento, ela já estava envolvida demais para reagir. Aquela adolescente se sentia usada, suja e culpada, e para piorar não se considerava inocente, mas uma colaboradora do abuso sofrido.

Ainda que você acredite que tenha se colocado em uma posição de risco, precisa ter uma verdade em mente: você não pediu aquilo! Ninguém pede pelo abuso. Ninguém pede pelo estupro. Ainda que você argumente: "Eu não deveria estar usando aquela roupa", "Eu não deveria ter pedido carona" ou "Eu não deveria ter sorrido quando ele fez aquela brincadeira", nada do que você tenha feito anteriormente ao abuso deveria ser interpretado como sinal verde para o ataque. Você é uma vítima!

"Eu sentia prazer"

Muitas vítimas de abuso se sentem traídas pelo próprio corpo e isso as leva a um novo patamar de confusão. Conheci casos de meninas que sofreram abuso constante por parte do próprio pai durante grande parte de sua vida e, na fase adulta, desenvolveram uma ligação sexual pela figura do pai. Muitas vítimas fantasiam com o próprio abuso.

É triste como o pecado pode apodrecer algo tão puro quanto o sexo. Deus criou a sexualidade para ser apreciada por um homem e uma mulher apaixonados, dentro da aliança do casamento. Mas o pecado, em suas diversas vertentes, distorceu o verdadeiro senso dos nossos desejos. Aquilo que deveria ser motivo de prazer se torna motivo de vergonha. Muitas vítimas de abuso relatam que se odiavam por seu corpo reagir com excitação ao contato sexual do abusador. *Lágrimas secretas* relata o caso de um rapaz cuja mãe abusava dele com frequência. Ele conta que, algumas vezes, fingia estar dormindo enquanto era molestado. Quando o ato acabava, ele se odiava ainda mais por sua reação "doentia" e pela incapacidade de interromper a situação.

É praticamente impossível que a vítima não sinta excitação sexual quando os órgãos sexuais primários (genitálias) ou secundários (seios, coxas e nádegas) são tocados. Nosso corpo é dotado de muitas terminações nervosas, o que nos torna muito sensíveis ao toque. Deus criou cada detalhe do corpo para nos deleitarmos no incrível prazer do sexo. Porém, o inimigo da nossa alma luta para corromper toda a beleza de nossas sensações e nossos desejos.

O abuso sexual é uma das formas de derramar fel no pote de mel, isto é, de tornar desprezível algo que é precioso, de converter em maldição a bênção. Ainda que você se sinta traída pelo seu corpo pelo fato de ele responder com prazer ao toque inapropriado e impuro, por dentro você lutou com todas as forças, desejando acabar com tudo aquilo quanto antes.

Seu corpo ter reagido com excitação não faz de você menos vítima.

E Deus nisso tudo?

É comum pessoas cristãs que sofreram abusos expressarem revolta contra Deus, por entenderem que ele lhes permitiu sofrer a agressão. Mas, em razão de seu temor pelo Senhor, às vezes, preferimos nos culpar a culpar Deus.

Pode ser que você não confesse isso em voz alta ou que não expresse sua revolta diante das pessoas, para não ser vista como blasfemadora. Mas, às vezes, no íntimo, você não consegue evitar aqueles terríveis questionamentos: "Por que Deus permitiu que eu sofresse abuso?"; "Por que Deus não me protegeu?"; "Por que Deus permitiu que eu nascesse em uma família assim?"; "Por que Deus não arranca essa dor do meu peito de uma vez por todas?"; "Por que Deus permitiu que o mal entrasse no mundo?"; "Por que Deus não me fez homem em vez de mulher?" ou "Por que Deus não se importa comigo?".

Se você já passou, ou está passando, pela fase dos "porquês", saiba que sentir-se assim é totalmente normal. Acredite, essa não é uma dificuldade exclusiva de vítimas de abuso. Isso ocorre também com cristãos que sofreram acidentes, que têm dificuldade de gerar filhos, que perdem o noivo no dia do casamento e pessoas em circunstâncias similares. Todo aquele que passou por uma grande dor já se perguntou se, de fato, Deus é amoroso.

Portanto, é importante ter sempre em mente que Deus é amor. Ele nunca quis o seu mal. A maldade que há no mundo não é culpa sua, nem de Deus. É culpa do pecado. Se você busca alguém para culpar, saiba que, desde o Éden, o grande culpado é, sempre, o pecado.

Quando Deus criou o mundo, ele não pôs a humanidade em uma situação de caos. A Bíblia relata que Deus criou um jardim maravilhoso e ali pôs o primeiro homem e a primeira mulher. Mas, no meio desse paraíso de amor, o Senhor plantou duas árvores: a do conhecimento do bem e do mal, e a da vida. Ambas estavam relacionadas à liberdade de escolha da humanidade, pois receberam a opção de desfrutar plenamente do amor divino ou não.

Penso que, se Deus criasse o jardim no Éden para as pessoas, mas não lhes desse a opção de errar, na verdade aquele lugar não seria mais do que uma prisão disfarçada. Afinal, não existe amor sem liberdade.

Adão e Eva escolheram desobedecer a Deus e, nisso, pecaram contra ele. O primeiro casal comeu do fruto da árvore do conhecimento do bem e do mal mesmo depois de ser instruído a não fazê-lo. Deus ficou triste pela desobediência deles e seu senso de justiça o fez expulsá-los do jardim.

O caos do mundo aponta para a escolha da humanidade de caminhar longe de Deus. A maldade que você vê ao seu redor não se deve à falta de amor de Deus, mas sim à falta de amor do homem a Deus. Desde o Éden, a humanidade tem tomado as próprias decisões, à revelia do Senhor, indo atrás de seus interesses egoístas. As pessoas têm matado crianças inocentes em guerras por territórios, explorado a natureza e os animais e oprimido o próximo. Não foi isso que o Criador planejou para nós. A humanidade se afastou de Deus, mas Deus não se afastou da humanidade.

Nós não somos capazes de imaginar os elevados propósitos de Deus, mas a agonia de Jesus na cruz nos permite não só imaginar, mas experimentar o amor de Deus. E isso nos basta para viver. Deus nos garante que toda esta era de dor acabará um dia e o nosso final será feliz (Ap 7.16-17). O dia do julgamento final chegará e não sofreremos mais. Um dia teremos justiça. Ainda que viva cercada de pessoas falhas, você é filha de um juiz que não erra e a sua vida é governada por ele.

Sempre que a frustração por alguma injustiça ou decepção começa a rondar minha mente, lembro da frase "Nada é por acaso". Assim como Jesus experimentou dores, e isso nos trouxe esperança, penso que os desdobramentos das minhas dores podem trazer esperança a outras pessoas. Este livro, por exemplo, só existe porque a dor que sofri me motivou a escrever.

Sempre que você se perde nos "porquês", o seu foco está em encontrar culpados. Mas, quando você volta os olhos aos "para quês", abraça o chamado para viver corajosamente, de forma a inspirar e transformar o mundo ao seu redor.

"PENSO SE A CULPA FOI MINHA, SE EU PEDI PARA AQUILO ACONTECER"

Nunca contei a ninguém sobre o abuso que sofri na infância, com exceção de uma amiga e meu marido. Porém, nem a eles relatei o que aconteceu em detalhes. Tampouco disse quem foi meu abusador. Não tive coragem. Na verdade, sinto muita vergonha, e tenho me perguntado o que posso ter feito para viver aquilo, se me insinuei... enfim, me passam muitas coisas pela cabeça. Penso se a culpa foi minha, se eu pedi por isso.

Eu tinha 7 ou 8 anos e ainda brincava de bonecas. Estava na casa da minha avó, sozinha com o meu irmão. Era final de uma tarde de verão e eu estava assistindo à televisão, quando ele me chamou. Meu irmão estava no banheiro e pediu que eu entrasse, pois queria me mostrar algo. Entrei sem maldade, achando que ele me mostraria um bicho ou algo assim. Foi quando ele deu início ao abuso. Meu irmão começou a me passar a mão, dizendo que eu não podia falar nada para ninguém, porque, senão, meu pai o mataria. Sem que eu entendesse direito, perguntei por que nosso pai faria aquilo. Foi quando ele baixou meu *short* e passou a mão em mim. Eu comecei a sentir coisas que nunca havia sentido, muitas sensações diferentes ao mesmo tempo. Eu queria gritar e pedir ajuda, mas logo o medo de que meu pai soubesse me calava. Eu senti nojo e prazer ao mesmo tempo, mesmo sem entender aquilo. Foi quando meu irmão me fez colocar o pênis dele na minha boca. Eu senti nojo, mas não conseguia fugir, pois me sentia paralisada.

De repente, ele me penetrou. Senti dor. Ele tapou minha boca e disse que doeria só um pouco. Eu não sei quanto tempo fiquei ali, naquela situação, mas parecia uma eternidade. Então, subitamente, alguém o chamou e ele foi ver quem era. Aproveitei para sair correndo em direção aos fundos da casa. Mesmo sem entender direito o que havia acabado de acontecer, eu vomitei. Chorei de nojo e de raiva.

Não me lembro do que aconteceu em seguida, mas sei que não contei para ninguém, com medo. Achava que ninguém acreditaria, que meu pai mataria meu irmão, coisas assim. Acabei deixando para lá, mas... aconteceu de novo. Ele voltou a me tocar. O pior e que eu já estava gostando de sentir aquela sensação. Foi a última vez que lembro de ele ter me tocado. Não tenho lembrança de ter acontecido de novo.

Meu abusador foi meu irmão, em quem eu confiava, quem cuidava de mim. Você não sabe quanto é difícil dizer que foi meu próprio irmão quem fez isso comigo. Mas a história não acabou aí. Por ter sofrido abuso, eu virei abusadora também. Eu queria sentir aquela sensação de novo, por isso acabei abusando de quem estava mais perto de mim: meus irmãos mais novos e, também, amigos. Saber que meus irmãos menores podem pensar de mim a mesma coisa que penso de meu irmão mais velho me dói muito. Carrego até hoje essa dor na consciência e no coração.

Tempos depois, no final da minha infância, acabei me esquecendo daquilo, como se tivesse apagado da mente. No entanto, a lembrança continuava lá, bem guardada. Eu tinha pesadelos com o que havia acontecido comigo, mas havia me esquecido completamente do que tinha feito com os outros.

Alguns anos depois, já com 16 anos, conheci um homem de 24 anos. Com três meses de namoro, fizemos sexo. Foi quando ele me disse: "Você não era virgem". Meu mundo caiu. Naquele momento, eu me lembrei de tudo e fiquei morrendo de vergonha dele.

Nosso namoro terminou em menos de um ano. Fiquei deprimida e comecei a sair com vários homens. Todo dia eu saía com alguém, mas, mesmo assim, não conseguia me satisfazer. Eu saía com todo tipo de homem, até homens casados, sempre em busca de alguém que me satisfizesse. Algo que me acompanhou desde muito cedo foi a compulsão por masturbação.

Sinto vontade de contar tudo a meus parentes, mas tenho medo da reação deles. Creio que, se eu revelar tudo o que houve, meus pais entenderiam muitas das coisas que fiz no passado. Hoje, amo meu irmão, apesar de tudo o que aconteceu, e não consigo sentir raiva dele, somente pena.

3

IDENTIDADE ROUBADA

Não podemos impedir que os pássaros voem sobre a nossa cabeça, mas podemos impedi-los de fazer ninho nela.
MARTINHO LUTERO

Você se lembra da brincadeira do telefone sem fio? Alguém sussurra uma frase no ouvido de quem está ao lado e essa pessoa repete o que entendeu para o participante seguinte. Quanto maior for a quantidade de gente na brincadeira, mais cômico será o resultado. É impressionante como, na maioria das vezes, a frase chega distorcida e cheia de erros ao último da fila. Como vítimas de abuso, vivemos um eterno telefone sem fio, com a diferença que não é nada cômico.

O que quero dizer com isso? Desde o início de sua vida, Deus disse uma verdade a seu respeito, que acabou sendo deturpada pelo "telefone sem fio" do abuso. Ele começou dizendo: "Você é minha filha amada". O pecado modificou a frase para: "Você *não* é minha filha amada". O abuso sussurrou: "Você quis e ficou calada". A culpa ouviu e disse: "Você é indigna e não vale nada". A pornografia interpretou: "Eu posso fazer você sentir-se amada". A vergonha ameaçou: "Se contar para alguém, você estará acabada". O relacionamento abusivo inventou: "Você não merece mais do que isso". A dor chegou do seu lado e sentenciou: "Tudo em que você toca estraga!".

Essa não é a verdade. Muito menos a *sua* verdade. Mentiram e, talvez, você tenha acreditado. Mas tenha calma. Não desista. Há uma luz no fim do túnel! Jesus é a luz do mundo! E, quando ele chega, as trevas se dissipam... e a paz reina!

A Bíblia relata um episódio de abuso sexual sofrido por uma jovem chamada Tamar (2Sm 13). O texto diz que, assim que é violentada (pelo próprio irmão!), ela troca o tipo de roupa que usava. Mais que um gesto objetivo para demonstrar desgosto publicamente, como era costume naquela sociedade, sua atitude representou uma profunda percepção acerca de sua realidade. Foi como se o seu irmão Amnom tivesse roubado a sua identidade ao cometer aquela atrocidade. Aos próprios olhos, Tamar se tornou outra pessoa, outra mulher, cuja vida não fazia mais sentido.

Todo abusador rouba a identidade de sua vítima e, também, parte do seu prazer de viver. Eu acompanhei algumas histórias de meninas que foram tocadas indevidamente em seus genitais na infância ou na adolescência e desenvolveram compulsão por sexo, pornografia e masturbação. Com isso, elas perderam a identidade de criança inocente e, na fase adulta, se distanciaram da perspectiva do sexo em sua essência como um presente de Deus.

Outras mulheres, que foram estupradas em algum momento da vida, passaram a enxergar as relações sexuais como um imenso desafio. A sensação de nojo que elas sentiram durante o abuso foi tanta que, mesmo depois de anos, ela continua viva ao se relacionar com o marido, alguém que as ama e as protege.

Jesus contou uma história de ficção muito interessante, que se tornou conhecida como a "parábola do filho perdido" (Lc 15.11-32):

> Jesus continuou: "Um homem tinha dois filhos. O filho mais jovem disse ao pai: 'Quero a minha parte da herança', e o pai dividiu seus bens entre os filhos.
>
> "Alguns dias depois, o filho mais jovem arrumou suas coisas e se mudou para uma terra distante, onde desperdiçou

tudo que tinha por viver de forma desregrada. Quando seu dinheiro acabou, uma grande fome se espalhou pela terra, e ele começou a passar necessidade. Convenceu um fazendeiro da região a empregá-lo, e esse homem o mandou a seus campos para cuidar dos porcos. Embora quisesse saciar a fome com as vagens dadas aos porcos, ninguém lhe dava coisa alguma.

"Quando finalmente caiu em si, disse: 'Até os empregados de meu pai têm comida de sobra, e eu estou aqui, morrendo de fome. Vou retornar à casa de meu pai e dizer: Pai, pequei contra o céu e contra o senhor, e não sou mais digno de ser chamado seu filho. Por favor, trate-me como seu empregado'.

"Então voltou para a casa de seu pai. Quando ele ainda estava longe, seu pai o viu. Cheio de compaixão, correu para o filho, o abraçou e o beijou. O filho disse: 'Pai, pequei contra o céu e contra o senhor, e não sou mais digno de ser chamado seu filho'.

"O pai, no entanto, disse aos servos: 'Depressa! Tragam a melhor roupa da casa e vistam nele. Coloquem-lhe um anel no dedo e sandálias nos pés. Matem o novilho gordo. Faremos um banquete e celebraremos, pois este meu filho estava morto e voltou à vida. Estava perdido e foi achado!'. E começaram a festejar.

"Enquanto isso, o filho mais velho trabalhava no campo. Na volta para casa, ouviu música e dança, e perguntou a um dos servos o que estava acontecendo. O servo respondeu: 'Seu irmão voltou, e seu pai matou o novilho gordo, pois ele voltou são e salvo!'.

"O irmão mais velho se irou e não quis entrar. O pai saiu e insistiu com o filho, mas ele respondeu: 'Todos esses anos, tenho trabalhado como um escravo para o senhor e nunca me recusei a obedecer às suas ordens. E o senhor nunca me deu nem mesmo um cabrito para eu festejar com meus amigos. Mas, quando esse seu filho volta, depois de desperdiçar o seu dinheiro com prostitutas, o senhor comemora matando o novilho!'.

"O pai lhe respondeu: 'Meu filho, você está sempre comigo, e tudo que eu tenho é seu. Mas tínhamos de comemorar este dia feliz, pois seu irmão estava morto e voltou à vida. Estava perdido e foi achado!'".

É muito comum que tenhamos uma percepção equivocada a respeito do que Jesus queria nos dizer com essa história. Apesar de a parábola ser conhecida como a do "filho perdido" — ou, como consta em outras traduções da Bíblia, "filho pródigo" —, o enredo deixa claro que o texto é sobre *dois* filhos e não apenas um. Aqueles dois jovens tomam decisões diferentes em relação ao pai, mas ambos têm o mesmo problema: eles amam mais *as coisas* do pai do que o próprio pai. Portanto, podemos considerar que aqueles dois rapazes estavam perdidos, isto é, distanciados do pai.

De igual modo, muitas vezes nos perdemos de Deus porque nos afastamos de sua presença, enquanto em outros momentos, apesar de estarmos dentro de casa, podemos nos perder pelo simples fato de lá permanecermos com as motivações erradas. É interessante que a parábola dá ênfase aos dois filhos perdidos, embora ambos representem a mesma pessoa: você.

O filho mais novo — o que foi embora — e o mais velho — aquele que ficou — representam dois comportamentos que constantemente manifestamos em nossa relação com o Pai. Ambos trilharam caminhos diferentes diante da dor e estavam distantes da identidade de filhos. A maior lição de amor é ver como Deus nos trata quando desempenhamos um desses dois papéis, tirando-nos da escravidão de nosso erro e relembrando-nos de que somos filhas.

O FILHO MAIS NOVO

Quando você se rebela em consequência de um abuso sofrido, está se comportando como o filho mais novo. A rebelião, porém, não acontece do dia para a noite. Tudo começa com um sentimento pequeno, que surge em certo momento e, sem que perceba, você começa a alimentá-lo com pensamentos e pequenos gestos de incredulidade. Um dia, porém, esse sentimento se tornará um monstro e, quando você se der conta, ele estará decidindo por você. Com isso, tem início uma série de dúvidas profundas a respeito do futuro. Você passa a não confiar como antes no Senhor e até mesmo a temer o que ele lhe está preparando. Um sentimento de insuficiência invade seu peito e você passa a acreditar que precisa se virar por conta própria.

Uma vez que esse estado mental se instala, você começa a prestar atenção indevida às pessoas. Seja nas redes sociais, na família ou em outros ambientes que costuma frequentar, você não consegue evitar a comparação. Todo mundo parece estar vivendo algo único e espetacular, menos você. As pessoas da sua idade parecem estar abraçando aventuras, assumindo riscos e escrevendo a própria história, enquanto sua realidade lhe é tediosa. Seus amigos de infância estão encontrando o par perfeito, tendo filhos, viajando e montando o próprio negócio, enquanto a sua vida não está nada interessante.

É quando uma onda de frustração toma conta de você. Torna-se praticamente impossível celebrar algo, já que, a essa altura, você não consegue achar graça em sua vida. Você odeia seu corpo. Gostaria de ser mais alta ou mais magra, queria ter bumbum ou seios maiores, sente-se infeliz por ter olhos tão grandes, sua boca não é tão carnuda quanto pensa ser o ideal... enfim, nada parece estar bom o suficiente.

Quando chega a esse ponto, normalmente você sufoca o grito do desejo de trocar de vida com aquela pessoa que tem tudo o que você sempre quis. Você até fantasia como sua vida seria legal se fosse ela, com uma família aventureira, morando num apartamento melhor que o seu, com amigos populares, um namorado lindo e um corpo invejável. E, assim, quanto mais pensa na vida dos outros, menos aprecia aquilo que tem.

Quando você se permite chegar ao fundo do poço da depreciação e da comparação, acaba tomando medidas drásticas. Respira fundo e diz a si mesma: "Isso não vai ficar assim!". Então, se matricula em uma academia e corta os doces e os carboidratos. Mas, assim que chega o final de semana, vem a compulsão e você cai dentro da *fast food*. Deprimida, vai ao salão de beleza, corta o cabelo igual ao daquela blogueira famosa e detesta como o cabelo ficou. Volta para casa, chora e se entope de comida engordativa — afinal, você está se consolando. Não demora muito até perceber que aquilo não vai levá-la a lugar algum e que está no fundo do poço.

Nesse ponto, o desespero por sentir-se viva a conduz a lugares escuros da alma. A academia não funcionou porque parece servir apenas para jogar dinheiro fora. Quem sabe a solução é parar de comer? Então você corta a salada, a sopa e os sucos, e se entope de água para não morrer. Quando fraqueja e come alguma coisa, o prazer que o paladar lhe proporcionou logo vira nojo e repulsa pela sua falta de controle. Você, então, vomita e cria o hábito de pôr tudo para fora. A sensação não é boa, mas são os sacrifícios necessários para se sentir viva — pelo menos é o que você pensa! Uma gota de alegria vem quando os primeiros quilos são perdidos. Suas roupas folgadas a fazem sentir-se mais amada do que os seus pais jamais conseguiram.

Em algum tempo, as pessoas à sua volta passam a parabenizá-la, elogiá-la e incentivá-la. Começam a lhe pedir dicas nas suas fotos das redes sociais e não suspeitam que a estão incentivando a se matar aos poucos. Nessa plateia estão, também, rapazes que nunca haviam notado você antes.

Os resultados desastrosos da bulimia levam certo tempo até aparecer e, enquanto isso, você se concentra em mais uma novidade empolgante. Agora que você está "em sua melhor fase", finalmente foi notada! Um carinha rouba seu coração. Mas ele não se importa de verdade com seus sentimentos: simplesmente gosta do que vê. Até você se dar conta de quão egoísta ele é, estará completamente envolvida em todo o romance que sempre sonhou ter. Ele é cheio de defeitos, mas você encontra uma justificativa plausível para cada um deles. Para quem considerava não ter nada, um farelo de pão mais parece uma padaria!

No auge do abuso emocional, um pensamento vago passa por sua mente, dizendo: "Isso está errado!". Você levanta e grita para o namorado abusador: "*Isso está errado!*". Nesse momento, o falso príncipe tenta convencê-la de que, sem ele, você não é nada. Então, ele pede perdão e assume que não é perfeito, mas que, ainda assim, é o melhor que você pode ter. Um a um, ele joga na sua cara todos os episódios em que o feriu, e ele suportou tudo por você. Aos poucos, você cai na armadilha e fica convencida de que ele está certo. Você tem a convicção de que esse tipo doentio de relacionamento é amor, por aguentar tudo em troca de nada, porque, afinal, no fundo do poço o nada já se tornou o seu tudo.

Mas uma parte sua sente que deveria estar se sentindo feliz, mas, em vez disso, quando está sozinha, chora constantemente. Você se odeia e se culpa mais ainda por não estar feliz. Depois de ter cortado tantos alimentos, você passa a eliminar aquilo que a nutre emocionalmente. É quando se afasta dos antigos amigos verdadeiros e se isola. Corta o lazer. Corta as conversas. Corta a pele. Você se pune. Afinal, sente que a culpa é sua por toda essa desordem.

De repente, você descobre um novo jeito de se sentir viva: acessar *sites* sujos na internet, com vídeos repletos de lixo espiritual e emocional — e passa a se alimentar daquilo. Não consegue parar. A compulsão a faz sentir-se mais suja e, por essa razão, se culpa ainda mais. Em certo momento, você depara com um lixo diferente e que desperta uma sensação diferente. Nada mais faz sentido. Sua identidade é posta em xeque. Você já não sabe mais quem é. Essa dúvida é mais um motivo para você se punir. Algo dentro de você grita que está errado, mas, diante de tanto lixo acumulado, as mentiras se misturam e criam uma nova verdade. Você abraça sua nova identidade. Mentiram para você, e você acreditou. "Eu sou isso e isso sou eu. Não dá para mudar".

Sempre que nos distanciamos do Pai, buscamos encontrar nos braços do pecado aquilo que já tínhamos nos braços de amor de Deus. Quanto mais comemos do lixo do pecado, mais acreditamos que isso é o normal. Quanto mais sujas estamos, mais queremos nos sujar.

Se você acredita que Deus a odeia por suas falhas, mergulha nelas e passa a odiá-lo, como resposta a essa crença. É como se gritássemos a Deus: "Eu sei que você não me quer! Quem poderia me querer? Eu só estrago tudo! Nem eu quero a mim mesma!". E, quando você se distancia daquele que a criou, sua vida perde o sentido.

Perceba que o filho mais novo da parábola de Jesus resolve voltar para casa não no momento em que sente a falta do pai, mas quando diminui as expectativas a respeito de si próprio. Ele não considera a saudade do amor do pai um motivo para retornar, pois deve acreditar ser ingênuo sentir saudade de algo que supostamente acabou. A essa altura, fica claro, ele tem a convicção de que o pai não o ama mais, e só decide voltar por acreditar que será aceito em uma condição inferior, a de servo. O que esse filho não espera é que o amor do Pai é incondicional. O amor de Deus por você não é derramado de acordo com o seu merecimento. Deus a ama independente dos seus erros e dos seus acertos.

Não tente impedir Deus de amá-la. Não tente se afundar em pecado como se fosse uma âncora no fundo do mar, porque Deus está também nas profundezas do mais escuro oceano. Não tente se camuflar em desculpas e em razões que, você acredita, a tornam não merecedora de sequer ser alcançada por ele. Não tente desviar os olhos do olhar dele! Para onde você olhar, os olhos de Deus já estarão se deleitando na obra de arte mais incrível que ele já criou: *você*. Não tente elaborar longos discursos para embasar suas teorias malucas que supostamente expliquem que você é um erro, uma catástrofe, um furacão sem destino.

Entenda que o fato de você ter a opção de cometer erros, por si só, é o resultado da expressão do infinito amor de Deus. O Senhor poderia ter posto você em um jardim de perfeição, forçando-a a ser "sem defeitos", mas isso não seria amor e, sim, uma prisão.

Tudo seria mais fácil se o pai da parábola se negasse a entregar a parte da herança ao filho rebelde. Sem dinheiro e recursos, ele não teria como sair de casa e, assim, o pai asseguraria que seu filho sempre estaria ali, em total dependência dele. Acontece que o pai, por tanto amar, deu liberdade ao caçula, na esperança de que ele ficasse não por obrigação, mas por amor.

Deus dá a você oportunidades de ir para longe, se essa for a vontade do seu coração. Ele lhe abre portas, simplesmente porque a ama. Mas saiba que nem toda porta que se abre para você representa a vontade de Deus para a sua vida. Nem tudo que dá certo é o certo para você. Nem toda pessoa que aparece no seu caminho é um presente enviado por Deus.

Quando aquele rapaz está no caminho, ensaiando seu discurso de desgraça e humilhação, o inesperado acontece. O pai o avista ainda longe e corre em sua direção. Ele não corre para reprimir, castigar ou afrontar. Ele corre para redimi-lo. Com um forte abraço e um beijo, aquele pai sela um novo tempo. Um tempo de perdão, graça e restauração. Mas o filho não aceita ser amado. Em sua mente, isso não faz sentindo, pois não se acha digno daquela recepção. Por isso, começa a discorrer sobre os motivos pelos quais ele não deve ser aceito de volta.

Você já se viu em uma situação como essa? Deus vem abraçá-la e você só fica remoendo seus erros e suas falhas, sem se dar conta do amor que lhe é estendido. Muitas pessoas já foram perdoadas por Deus mas ainda não compreenderam isso e, por essa razão, seguem carregando enormes fardos de culpa. Com isso, recusam seu chamado, por acreditar que não são dignas.

Fico impressionada com a insistência do filho rebelde, agora arrependido, de se enxergar e se afirmar como indigno, apesar da recepção calorosa. Por que toda essa dificuldade de se ver como alguém perdoado? Se isso acontece com você, saiba que o Pai eterno já deixou bem claro que você é amada. Mesmo que, teimosa, você faça questão de lembrar-lhe quanto tem falhado.

Imagine a cena: Deus a abraça e diz: "Que bom que você voltou para mim!". E, logo, você retruca: "É, eu estou voltando, mas já adianto que fiz coisas terríveis! Eu me envergonho dos caminhos que trilhei e, ainda por cima, eu...". O Pai aumenta o sorriso, interrompe o discurso, estende a mão e toca seu rosto de uma maneira tão gentil que chega a constranger: "Olhe só para você! Você está aqui, agora! Minha garotinha! Que alegria poder tê-la perto de mim novamente!".

Você, então, esquiva o rosto do doce toque de seu Pai e resmunga: "Eu não vim para ficar. Não quero nada seu. Eu, eu... eu nem sei por que estou aqui, falando com você novamente. Bem, é que eu não tinha mais ninguém, então pensei que, se você me aceitasse para trabalhar em alguma ação social ou em um projeto missionário, eu também poderia fazer uma grande doação em dinheiro e talvez isso pudesse... sei lá. Mas, se você não me quiser aqui, eu compreendo".

Como quem não está ouvindo a sua voz, mas apenas as batidas aceleradas do seu coração, Deus a fita com os olhos cheios de um incompreensível amor, estende as mãos e segura as suas. Você ouve uma voz que soa como muitas águas, dizendo: "Foi por você. Eu morri para que você pudesse viver!".

Nesse momento, as palavras parecem invadir você por inteira, trazendo à sua memória tudo o que *ele* fez para que tudo o que *você* fez seja lançado nas profundezas do mar. Então, você grita alto: "Não é possível que você me ame! Eu não mereço o seu sacrifício! Eu é que deveria ter morrido naquela cruz, não você! Senhor, você não pode me amar!". Ao que ele responde: "Eu vim para lhe dar vida, uma vida plena, que satisfaz".

Você prossegue em sua argumentação: "Quando você menos esperar eu vou decepcioná-lo! Eu sempre decepciono aqueles que amo. Eu sou má! Afaste-se enquanto é tempo!'". É quando, cercada por um sublime e incompreensível sentimento de proteção, escuta do Senhor: "O seu passado, o seu abusador, a vergonha, o pecado... nada disso tem poder sobre você enquanto estiver comigo. Ainda que tenham encostado em seu corpo, eles não têm poder sobre sua alma. Eu sempre estarei aqui, até o fim". Então ele começa a trabalhar a sua identidade. Por isso, lhe diz: "Você não é quem as pessoas dizem que é. Não é sequer quem você mesma tem dito que é. Você é quem *eu* digo que é! Você é minha amada filha, e eu me alegro com a sua vida. Você é uma obra de arte, que criei com minhas mãos. Tenho orgulho de você e quero que seja, de hoje em diante, quem eu a criei para ser: corajosa, ajudadora, leal, amável e amada! Não se lembre mais de quem você foi. Abrace quem você é a partir de hoje!".

Se você é filha de Deus, não há discurso ou desculpa que o faça desistir de você. Ele simplesmente a ama — incondicionalmente. A sua identidade não é definida pelo seu desempenho. Tampouco sua queda a define. Foi o sacrifício de Jesus que estabeleceu quem você é. Isso significa que, se você errar, o amor dele por você não vai diminuir, assim como seus acertos não o motivarão a amá-la mais.

O Pai quer que você faça boas escolhas e se afaste do caminho do mal com a finalidade de que viva bem, não para que ele a ame mais. O amor do Senhor é imutável, mas as nossas más escolhas geram consequências complicadas. Para que você viva de acordo com os propósitos do Pai, precisa caminhar com sabedoria.

Entenda: o Pai é amoroso. Mesmo que seu pai terreno não seja nem tenha sido, o Pai celestial é puro amor.

E esse Deus incrível tem a capacidade de fazer tudo novo para você. Lembre-se da parábola que o próprio Jesus contou: na história, o pai ignorou o discurso do caçula sobre sua vergonha e ordenou que ele fosse recebido, vestido e adornado com todas as honras. Do mesmo modo, se você voltar suas atenções para o Pai, ele dirá: "Minha linda filha estava perdida em suas confusões sentimentais e, hoje, está voltando à luz. Os sonhos dela estavam mortos e hoje ela pode voltar a sonhar!".

O FILHO MAIS VELHO

Nem toda vítima de abuso acaba no fundo do poço da culpa, assim como nem toda pessoa que foi ferida se revolta contra si mesma ou contra Deus. Algumas simplesmente entram em uma espécie de "modo de defesa", se escondendo em um casulo de orgulho, eficiência e falsa felicidade. É como se essas vítimas pensassem: "É simples, se eu não falar sobre isso, será como se nunca houvesse acontecido" ou "Se ninguém souber das minhas feridas, não precisarei explicar e, então, conseguirei adiar para sempre o constrangimento que me faria desmoronar".

O filho mais velho da parábola ficou com o pai, trabalhando ativamente. Ele acreditava estar fazendo tudo certo. Eu imagino que uma pessoa assim certamente deveria ser dedicada, perfeccionista, do tipo que tem dificuldade de delegar tarefas para os outros, porque sempre sente que sozinha dá conta de tudo. Afinal, "se você quer algo bem feito, faça você mesma", não é?

Talvez a maneira que você tenha encontrado para lidar com a tempestade interior foi dar às pessoas a impressão de que o dia estava sempre ensolarado. Você é prestativa, servidora e ama cuidar das pessoas, mas jamais se abre o suficiente para ser cuidada também. A sua risada é alta e você é brincalhona, mas escapa para chorar escondido. Você brinca de viver várias versões de si mesma, mas tem medo de que as pessoas vejam a sua verdadeira essência. Quem está ao redor se encanta com todo o brilho da sua presença, e mal sabem que você brilha tanto quanto uma bolha de sabão, que flutua graciosamente no ar, porém estoura com facilidade. Seus relacionamentos acabam e você mantém a amizade, pois é boazinha demais para dizer tudo o que estava entalado. Parece ser mais fácil assim. Não confrontar para não se expor.

Entretanto, chega uma hora em que a dor vem à tona como um vulcão em erupção. E, quando a lava escorre, destrói tudo por onde passa. Não há como detê-la. A única opção é fugir. Não é assim que as pessoas saem da sua vida?

No dia em que o irmão mais novo retorna para casa e é recebido com festa, o irmão mais velho explode como um vulcão. O problema não é o caçula estar sendo bem tratado, mas ele mesmo nunca ter sido tratado com toda aquela festa. Nunca houve uma comemoração embalada por música e comilança. Acontece que esse é o preço de parecer estar sempre bem: as pessoas não sabem de seus anseios, desejos e expectativas. Pessoas do tipo "abraçadoras" abraçam para ganhar abraços, mas deixam sutilmente claro que estão dando e não recebendo. Estão ajudando, não pedindo ajuda.

A verdade é que todo seu trabalho, prestatividade e serviço vêm carregados de pedidos de socorro. Não que você não ame servir. Mas a motivação do seu serviço é que as pessoas vejam algo bom em você, algo que você mesma não vê. Você acredita que terá mais valor e será apreciada se impressionar com a sua boa vontade. No fundo, essa é a sua forma de clamar por atenção. Infelizmente, a maioria das pessoas ainda não aprendeu a decifrar esse código de sofrimento incomum, do tipo S.O.S (*Sorriso. Orgulho. Serviço*).

Muita gente acredita que vulnerabilidade tem a ver com fraqueza; que, se você mostrar que algo a atingiu, estará revelando suas fragilidades. No entanto, fazer-se sempre de forte é viver uma mentira. Ser forte não significa nunca errar. Ser forte tem mais a ver com seu modo de lidar com os próprios erros.

O irmão mais velho da parábola de Jesus se recusa a participar da festa que o pai organizou para o filho arrependido. Ele se recusa a comemorar a falha. Para ele, é inacreditável que os fracos sejam celebrados. Mas o que ele não sabe é que o Pai não está aplaudindo o erro do irmão mais novo, mas o recomeço dele. Não era sobre o caçula ter saído de casa de maneira vergonhosa, mas sobre estar voltando de maneira corajosa.

Temos a tendência de achar que o mais corajoso é não chorar em um mundo que está de luto. Isso não é coragem. Coragem é chorar durante o luto, mas não permanecer para sempre lá, por saber que "Mesmo quando eu andar pelo escuro vale da morte, não terei medo, pois tu estás ao meu lado" (Sl 23.4). Coragem não é desviar dos caminhos de sombra da vida, mas se embrenhar pelos vales tortuosos e escuros do ser, sem temer aquele lugar. É dar um passo de cada vez, sabendo que aquele caminho não será eterno.

"Todos esses anos, tenho trabalhado como um escravo para o senhor e nunca me recusei a obedecer às suas ordens", diz o primogênito. Curioso é que ele se via como escravo, mas esperava receber um salário. Quem nunca se permite assumir suas fragilidades espera ansiosamente uma recompensa por isso. É como se dissesse: "Veja, Deus, eu sou mais forte que a maioria das vítimas de abuso. Eu consegui superar! Não me automutilo. Não cometo suicídio. Não desenvolvi distúrbios alimentares. Pelo contrário, eu estou ótima! Sou amorosa, ajudadora e amo servi-lo. Olhe para mim! Veja como estou pronta para receber minha recompensa!".

Na verdade, o que você está querendo dizer é: "Olhe todo o meu esforço, Deus! Eu sou merecedora. Pode confiar em mim, pois nunca vou decepcioná-lo! Sou forte! Nunca vou errar com você. Sempre lhe darei orgulho com minha vida impecável! Você pode me amar, Pai!".

Mas, ao olhar para você, o que se vê é uma criancinha na sacada, com os braços balançando para cima, ansiosa por exibir coragem. A maioria das crianças tem medo de altura, e você quer impressionar. Você está disposta a fazer manobras arriscadas bem perto do perigo para provar que não tem medo de cair.

Mas, qual pai pediria a sua criancinha que se pusesse em situação de perigo? Ainda que certas atitudes pareçam corajosas, elas podem ser fatais. Deus sempre nos incentivou a ser valentes, mas nunca imprudentes. Guardar uma mágoa somente para você e nunca chorar é tão perigoso quanto brincar com fogo ou fazer malabarismo com facas. Ainda que você queira provar que é inabalável, isso não impressionará Deus. Na verdade, não existe nada que você e eu possamos fazer para impressioná-lo! Nenhum feito incrível pode nos tornar merecedoras de seu imenso amor. É tão impossível quanto depositar as águas do oceano em um copo.

Em contrapartida, a Bíblia diz que existe algo que atrai os olhos de Deus de maneira especial. "E, uma vez que temos um Sumo Sacerdote que governa sobre a casa de Deus, entremos com *coração sincero* e plena confiança, pois nossa consciência culpada foi purificada, e nosso corpo, lavado com água pura" (Hb 10.21-22). Deus ama a sua sinceridade e vulnerabilidade, porque ambas revelam que você depende dele em tudo. Deus quer ajudá-la, mas, para isso, você tem de confessar-lhe que precisa de ajuda. Ele quer caminhar ao seu lado, mas é necessário que você assuma que não é capaz de fazê-lo sozinha. Ninguém consegue dar conta dos próprios problemas sem a intervenção de Deus. Todos que tentaram sucumbiram.

Talvez você tenha trabalhado para manter sua imagem de forte porque sempre lhe disseram que fosse forte. Quem sabe o problema esteja na definição de "forte" que o mundo lhe passou. "Pessoas fortes não choram", disseram. Mentiram, e você acreditou. Mas a palavra que contém a verdade diz: "Pois, quando sou fraco, então é que sou forte" (2Co 12.10). Se alguém está mancando porque os sapatos apertam demais, a primeira decisão a tomar é mudar de sapatos. Revelar que algo está errado, que alguém a feriu profundamente e pedir ajuda são o primeiro passo para trocar antigos comportamentos por novos e atitudes irrealistas por atitudes reais, que expressem cura real.

O filho mais velho estava sempre ao lado do pai, agindo como considerava correto. O problema é que seu coração vivia em mentira. De igual modo, o Pai celestial não quer apenas os seus serviços, mas deseja que seu coração seja sincero e que você caminhe com ele como uma filha que aprende uma nova lição a cada dia. Ao fazer uma festa para o irmão que errou, o pai da parábola estava dizendo: "Os erros fazem parte da caminhada e você não está proibido de errar. Todavia, não permaneça no erro e seja sempre corajoso a ponto de confessar e retornar para o caminho certo".

O que aquele pai estava tentando dizer é: "A festa para seu irmão na verdade também é para você. Fiz tudo isso para ensiná-lo a se parecer comigo. O meu perdão ao seu irmão é para lhe dizer que, sem perdão, você jamais será parecido comigo, meu filho. Ainda que se esforce, sempre se sentirá como escravo".

É impossível assumir nossa real identidade de filhas de Deus sem vivenciar o perdão. Deus derramou misericórdia e graça sobre a humanidade, mesmo sem merecermos. Hoje, ele a convida a fazer o mesmo. Sem perdão, não passaremos de escravos trabalhando por uma recompensa limitada. Com perdão, seremos filhas que se parecem com o Pai. Por isso, pergunto: quem você precisa perdoar?

"MEU CORPO SOFRIA AS CONSEQUÊNCIAS DE UM ABUSO QUE EU MESMA HAVIA COMETIDO"

Tenho 23 anos e estou no último ano de Direito. Tive o privilégio de nascer em um lar cristão e, desde muito cedo, já me envolvia nos trabalhos da igreja, sempre com alegria. Quando fiz 15 anos, conheci uma pessoa por quem me apaixonei. Ele era membro da igreja em que eu me congregava e fazia cerca de seis meses que havia aceitado Jesus. Nós conversamos por três meses e, então, ele pediu permissão ao meu pai para namorar comigo. Namoramos por quase cinco anos e, ao longo desse tempo, muitas coisas aconteceram.

No começo, conseguimos manter o namoro em santidade, mas, passados três anos, fraquejamos e tivemos relações sexuais. Passamos a basear nossa vida em justificar o pecado que nos acompanhava, fosse afirmando que Deus era misericordioso, fosse alegando que planejávamos nos casar e, por essa razão, não havia problema. Mesmo após algumas traições da parte dele, meu amor era tão grande que acreditava que ainda devíamos ficar juntos. Minha mente estava cauterizada demais para imaginar minha vida sem ele. Foi o começo de uma fase horrível, provocada por um relacionamento completamente instável.

No início de 2014, já no terceiro semestre da faculdade, eu começava a conhecer outro mundo e a sentir o desejo de saciar a carne com outros prazeres. Comecei a sair com jovens não cristãos. Fui a festas, provei diversos tipos de bebida alcoólica e traí meu então namorado. Mas eu me esquecia do mais importante: Deus via tudo.

Meu namorado descobriu algumas dessas coisas e foi à minha casa sem que eu soubesse. Ele contou tudo aos meus pais e, depois, me confrontou. Eu confessei meus pecados e, após muita conversa, ele resolveu me perdoar.

Naquele dia, o que me machucou de verdade foi ver minha mãe chorar por descobrir que eu mentia para ela e meu pai me chamar no cantinho com o rosto triste e os olhos cheios de lágrimas para me dizer que eu não tinha noção do que ele estava sentindo, de que a menininha dele não existia mais.

Depois desse episódio, eu me afastei de algumas pessoas na faculdade, mas continuava mantendo relações sexuais com meu namorado. Certo dia, peguei o celular dele e comecei a mexer. Encontrei mensagens que ele trocara com outra menina na noite anterior, afirmando que, horas depois de sair da minha casa, no dia em que começamos a usar anéis de compromisso, eles ficaram juntos. Aquilo me doeu demais. Ele me pediu perdão, dizendo que nunca mais aconteceria, e eu acreditei. Poucas horas depois, estávamos deitados.

Naquele dia, eu estava destruída por dentro, mas, mesmo assim, me entreguei, vulnerável, tanto de corpo quanto de alma. Quando cheguei em casa, passei a noite chorando. Eu me sentia só e queria conversar com Deus, mas me sentia suja.

Um mês depois, descobri que, naquele dia, havia engravidado. Sentei-me em um banco, liguei para meu namorado e contei que estava grávida. Sua reação foi de felicidade, mas eu não acreditava no que estava acontecendo, só conseguia chorar e chorar. Eu ficava pensando como contaria para meus pais e para as demais pessoas, como terminaria a faculdade e lidaria com aquilo. Foram os dias mais difíceis da minha vida. Para piorar, meu namorado me chamou para conversar e me contou que estava apaixonado pela menina com quem ele havia me traído, mas que, mesmo assim, se casaria comigo.

Não havia uma noite sequer em que eu não chorasse incontrolavelmente. Sem que percebesse, eu estava entrando em depressão. Foi então que comecei a pensar em jogar tudo para cima, terminar aquele namoro e fazer um aborto. Chamei meu namorado e contei o que estava pensando fazer. Na hora, ele ficou relutante e disse que queria muito ser pai. Eu lhe perguntei sobre nosso futuro, se ele tinha certeza de que continuaríamos juntos e, como eu já esperava, ele respondeu que não tinha certeza. Começou a cogitar a possibilidade de eu realmente fazer o aborto. No fundo, eu não queria ouvir aquilo e me senti mais uma vez renegada.

Cerca de uma semana depois, comprei um remédio abortivo e fui realizar o procedimento na casa de uma amiga. Aquele foi o pior dia da minha vida. Minha alma encontrava-se incontrolável e meu corpo sofria as consequências de um abuso que eu mesma havia cometido. Fui para casa chorando mais do que antes. Eu só queria ficar escondida. Passei alguns dias só, não queria ver ou conversar com ninguém, sentia cólicas muito fortes e mal conseguia me levantar da cama.

Ninguém fazia ideia de como eu estava por dentro, de como meu coração estava quebrado, de como eu me sentia suja e indigna de qualquer amor, sem entender como conseguira chegar ao fundo do poço tão rápido. Apesar de não existir mais relacionamento, eu continuava mendigando amor. Até que, finalmente, meu ex-namorado terminou comigo. Eu não aceitava, ligava para ele o tempo todo e mandava textos enormes com declarações de amor, sem que nada surtisse efeito. Tudo havia acabado. Se ainda havia chão debaixo dos meus pés, ele acabara de ser tirado.

Passei a não sair mais do quarto. O meu tempo se resumia a dormir e tocar violão deitada na cama enquanto chorava. Na rua, eu era mal falada, na igreja não havia uma só pessoa que não me julgasse. Amigos de infância que antes riam comigo passaram a me discriminar, como outras pessoas faziam. Desenvolvi fobia social, um medo irracional de sofrer avaliações negativas, e comecei a me autodepreciar.

Certo dia, fui a um congresso feminino na igreja e pedi carona a um irmão para voltar para casa. Quando estávamos no meio do caminho, ele iniciou uma conversa que me pareceu estranha, sobre atração física. Foi quando ele disse que me achava muito bonita e que tinha vontade de me beijar. Ele colocou a mão na minha perna. Começou a alisar e depois subiu. Rapidamente, tirei sua mão e pedi que me respeitasse bem como a sua esposa. Meu coração estava acelerado. Pedi que parasse o carro. Desci às pressas e mal conseguia ficar de pé, completamente revoltada, envergonhada, sem entender como as coisas chegaram àquele ponto. Já não bastava tudo o que me acontecera naquele ano? Agora... aquilo?

Nos últimos dias daquele ano, recebi um convite que me surpreendeu muito. Estava sendo convidada a assumir a regência do coral de jovens. O homem que fez o convite foi quem posteriormente se tornou o meu pai espiritual. Na hora, ele não fazia ideia de quanto eu precisava daquilo. Era como ouvir um sussurro da voz de Deus chamando meu nome.

Foi quando percebi que Jesus ainda me amava.

Aceitei o convite e passei a fazer parte da liderança dos jovens, além de compor o grupo de louvor. A "garota mais impura do mundo" estava se reerguendo, levantada por Deus, curada pela misericórdia e pelo amor do Pai para ministrar vida. Ele falava comigo, em muitos momentos, sobre tudo o que havia acontecido, e cada momento era único. Cada episódio tratava uma sequela. Eu só conseguia ficar constrangida com tamanho amor.

E foi esse amor que me curou e me restaurou.

Deus me fez entender que em todas noites que passei chorando e me sentindo sozinha, ele estava comigo — eu é que não percebia. E, depois de toda a tempestade, ele me mostrava que a fidelidade dele é eterna.

Hoje me sinto curada e restaurada pela graça, e Deus ainda me faz lembrar todos os dias de que... sou filha!

4

SUJA DEMAIS PARA SER AMADA

Se temos a mente impregnada de desesperança é porque estamos acreditando em alguma mentira.

BILL JOHNSON

m grave problema que muitas vítimas de abuso enfrentam é a imersão na rejeição e na solidão. Elas se sentem sujas. É como se a carga do abuso fosse pesada demais para as vítimas e as pessoas que entram na vida delas. É uma caminhada de fato solitária para aqueles que não têm graça para compartilhar.

É comum amigos confidenciarem entre si relatos de infância e até se divertirem com as histórias mais constrangedoras, como a daquele tombo em que todos da escola riram ou a daquela vez em que o professor descobriu que você colava na prova. Mas, quando o assunto é abuso, não se pode tirar nada de proveitoso, muito menos bem-humorado. É impossível rir.

Muitos casais — de namorados, noivos ou cônjuges — compartilham suas histórias e isso fortalece a unidade do relacionamento. Mas, quando se trata de uma história de abuso, parece ser impossível que algo tão negativo possa fortalecer qualquer vínculo. Já ouvi pensamentos recorrentes de meninas que abriram seu coração comigo. O discurso delas sempre parece girar em torno deste tipo de afirmação: "Se eu dissesse que meu pai foi ausente, o cara de quem eu gosto poderia me olhar com olhos de ternura e assumir um papel protetor. Mas como direi que o meu segredo está relacionado ao estupro que sofri? Como ele me olhará com amor se eu não passo de um objeto usado?".

Se esse tipo de pensamento cruza sua mente, a primeira verdade da qual você precisa se conscientizar é que nenhum rapaz, por mais maravilhoso que seja, é melhor ou "mais puro" do que você. O abuso não faz de você uma pessoa suja. Se um cara não é homem o bastante para reconhecer você como vítima e sentir compaixão pela sua história, então ele simplesmente não é digno de você!

Isso serve também para as meninas que tiveram fotos íntimas vazadas *on-line*, que foram constrangidas em público por algo de seu passado ou que cometeram o erro de fazer sexo antes do casamento. Independentemente de qual seja o seu motivo de vergonha, se qualquer homem considerá-la inferior por conta disso, sem dúvida alguma ele *não* é digno de você.

Como posso afirmar isso? Entenda: se Jesus a perdoou e se ele não olha para você com olhos de condenação, ninguém tem o direito de olhá-la assim, minha amiga! O apóstolo Paulo deixou claro: "Agora, portanto, já não há nenhuma condenação para os que estão em Cristo Jesus" (Rm 8.1). Cristo, diferente de mim e de você, nunca errou, pecou ou falhou: "Uma vez que ele próprio passou por sofrimento e tentação, é capaz de ajudar aqueles que são tentados" (Hb 2.18). Ele é o único que poderia nos rejeitar mas, em vez disso, escolheu correr até você e acolhê-la em seus braços de amor. Convenhamos, isso sim é atitude de um homem de verdade!

Se esse cara que entrou na sua vida refletir o caráter de Jesus, certamente tratará você como Jesus trataria: com amor, dignidade, graça e respeito. A partir do momento em que estabelecemos Jesus como padrão de masculinidade, rejeitamos qualquer perfil que fuja disso. É simples: se esse rapaz não consegue amá-la de acordo com as virtudes de Cristo, você estará melhor sem ele.

Lembro de um episódio que vivi no passado. Eu estava prestes a iniciar um namoro. Estávamos naquela fase de "amizade-caminhando-para-namoro" e alguém fez um comentário maldoso a meu respeito diante dele. No mesmo dia, ele me mandou mensagens de texto do tipo: "Você não é quem eu achava que era". Lembro-me de me sentir constrangida e humilhada. Naquela época, eu uni todas as minhas forças para me explicar a ele, tentando justificar por que eu era merecedora do seu amor. Eu rebati os comentários maldosos e passei horas tentando limpar a minha imagem perante os seus olhos. No fim das contas, deu tudo certo e até engatamos o namoro. Eu era tão imatura! Se pudesse voltar no tempo, eu diria a ele: "Se você não pode lidar com as minhas falhas, você não é digno de participar dos meus acertos. Faça um favor para nós dois e nem entre na minha vida, pois certamente errarei mais vezes. Sou humana". O ponto aqui não é se os comentários maldosos eram verdadeiros ou não, mas o fato de aquele rapaz questionar o meu caráter, sentindo-se no direito de julgar se eu era uma moça direita ou não. Naquele dia, eu me senti humilhada, rebaixada. Mas aprendi.

Não conte suas dores a qualquer pessoa. É preciso conhecer bem alguém e confiar o suficiente antes de compartilhar algo que doeu tanto. Se você não tem certeza de que aquele rapaz vai reagir bem à sua história, talvez signifique que ele não é digno de que você lhe entregue seu coração.

Hoje, eu experimento um relacionamento saudável com meu marido, o Samuel. Levamos algum tempo para compartilhar os detalhes constrangedores de nosso passado. Eu considero como detalhes desnecessários, que não precisávamos contar, mas chegamos a um patamar de confiança tão grande que nada do que ele me dissesse me faria amá-lo menos, e vice-versa. Por isso, ouvimos os erros e as dores um do outro de coração aberto, como confidentes e não como juízes. Não há nada sobre meus relacionamentos passados que ele não saiba, e vice-versa. O pensamento é: você falhou, mas eu também falhei, somos iguais e a boa notícia é que fomos igualmente restaurados em Jesus. Isso é demais!

ELE TEM DE MERECER VOCÊ

Se você ainda não casou e tem medo de nunca encontrar alguém que a ame do jeito que é, precisa entender o valor que tem. É fundamental que compreenda quão preciosa é, e que, por essa razão, não é qualquer um que pode conquistar o seu coração. Quando você entender seu valor, perceberá que não deve se entregar ao primeiro que lhe dirigir palavras elogiosas.

Seu valor é incalculável! Você é especial! Você é bela aos olhos de Deus! Por isso, se alguém quiser acesso ao seu coração, precisa merecer. Entenda uma verdade essencial: *ninguém está lhe fazendo um favor ao se interessar por você*. Quando penso nisso, me lembro de Acsa.

A história da jovem Acsa está no primeiro capítulo do livro bíblico de Juízes. Ela era filha de Calebe, um dos líderes do povo de Israel. Os israelitas estavam em guerra contra outro povo, os cananeus, e Calebe, que estava a ponto de liderar a investida contra a cidade inimiga de

Quiriate-Sefer, prometeu a mão de Acsa em casamento a quem atacasse e tomasse a cidade.

Quiriate-Sefer, segundo os historiadores, era uma cidade totalmente reforçada, difícil de conquistar. Então, possivelmente, Calebe pensou que o homem que tivesse sucesso nessa empreitada mereceria o amor da filha. É quando entra em cena o sobrinho de Calebe, Otoniel, que toma a frente da batalha e derrota os habitantes da cidade. Certamente, a promessa de Calebe deve ter sido um tremendo incentivo. Como primo de Acsa (naquela época não era incomum o casamento entre primos), ele certamente a conhecia havia muitos anos e já devia nutrir algum tipo de sentimento por ela. Quando Otoniel ouviu a proposta do tio, deve ter pensado: "Poxa, Acsa é demais. Vale a pena! Eu tenho de me casar com ela. E, se para isso for preciso conquistar uma cidade, é o que farei! Pelo amor dela vai valer a pena". Você já imaginou que interessante deve ter sido para Acsa ver um homem conquistar uma cidade pelo amor dela? Meu Deus!

Eu desejo que você se sinta como Acsa. Não é qualquer homem que pode chegar ao seu coração sem demonstrar com atitudes que merece o seu amor. Não! Esse homem, que é especial, único, e fará que os seus sonhos com Deus caminhem para o lugar onde o Senhor quer, terá de fazer muito por merecer — e não com migalhas. Você merece ser conquistada!

Dê um suspiro bem forte e diga assim: "Eu mereço ser conquistada! Eu mereço que o homem que quiser me conquistar se esforce por mim, assim como Otoniel fez por Acsa!". Sabe por que você merece? Porque Jesus morreu numa cruz por você! E Jesus fez isso para que você não precisasse morrer! Isso não é suficiente para perceber seu valor aos olhos de Deus? Amor é o que Jesus fez, e não o que qualquer cara faz. Amor foi o que Otoniel fez por Acsa. Ele conquistou uma cidade. Isso é muito lindo. Mas a história de Acsa não acaba aí. Veja o relato de Juízes 1.14-15:

> Quando Acsa se casou com Otoniel, ela insistiu para que ele pedisse um campo ao pai dela. Assim que ela desceu do jumento, Calebe lhe perguntou: "O que você quer?". Ela respondeu: "Quero mais um presente. O senhor me deu terras no deserto do Neguebe; agora, peço que também me dê fontes de água". Então Calebe lhe deu as fontes superiores e as fontes inferiores.

Do mesmo modo que Acsa foi além, gostaria de lhe sugerir que você diga a Jesus: "Senhor, sou eternamente agradecida por teres me dado a salvação. E, já que tu me amas, gostaria também, se possível, de ter acesso a tuas fontes inesgotáveis. Desejo ter um relacionamento contigo. Se morreste na cruz para que eu pudesse ter um relacionamento pessoal e profundo contigo, desejo ver o teu fluir na minha vida. Desejo ter acesso às tuas fontes, porque elas são inesgotáveis". Peça isso.

A Bíblia diz que Calebe deu a Acsa as fontes superiores e as inferiores do território que ela recebeu. Como você é valiosa, seu Pai tem para você, alegoricamente, "fontes superiores e fontes inferiores". Isto é, ele deseja que você seja uma mulher estabelecida, que se valorize espiritualmente, mas, também, como pessoa.

Fico triste sempre que vejo mulheres satisfeitas financeira e psicologicamente, mas frustradas espiritualmente. Ao mesmo tempo, vejo mulheres espiritualmente satisfeitas, mas profissional e emocionalmente frustradas. Deus quer que você seja uma mulher espiritualmente satisfeita e que tenha descanso nele no que se refere às coisas terrenas, por saber que ele está à frente de tudo e que seu contentamento está em ser filha de Deus — seja na escassez, seja na abundância.

Se a sua referência de amor for baseada em experiências negativas, certamente terá medo do futuro, enxergando com desesperança o que ainda está por vir. Mas, se a sua referência de amor for Cristo, você caminhará para um futuro de plenitude desse mesmo amor, como o apóstolo Paulo nos orienta em sua carta ao efésios (3.18-19):

> Também peço que, como convém a todo o povo santo, vocês possam compreender a largura, o comprimento, a altura e a profundidade do amor de Cristo. Que vocês experimentem esse amor, ainda que seja grande demais para ser inteiramente compreendido. Então vocês serão preenchidos com toda a plenitude de vida e poder que vêm de Deus.

Quando estamos alicerçadas no amor de Cristo, nos reconhecemos como obras especiais feitas pelo Criador. Por isso, é importante que você se valorize, sinta-se bela e importante. Quando valorizamos a obra de arte, honramos o artista. Faça como o salmista, que glorificava os grandes feitos de Deus, incluindo-se neste pacote: "Eu te agradeço por me teres feito de modo tão extraordinário; tuas obras são maravilhosas, e disso eu sei muito bem" (Sl 139.14).

Confesso que não tem sido simples acordar todos os dias com a autoestima elevadíssima, como a exposta no versículo que lemos acima. Há dias em que pensamos que Deus nos fez com algum defeito irreparável. Nesses momentos, apego-me ao mandamento que diz: "Ame o seu próximo como a si mesmo" (Mt 19.19). Não me apego como se fosse uma espécie de amuleto da sorte, mas, sim, como um lembrete dos céus. Eu quero ser uma boa esposa, amiga fiel, filha amorosa e profissional excelente, mas não posso me doar em amor para os meus relacionamentos se antes não estabelecer um padrão em mim mesma. Como posso amar outras pessoas como a mim mesmo, se eu não me amo? A gente só dá aquilo que tem.

Esse mandamento na verdade não fala apenas de amor ao próximo, mas também de amor próprio. Assim, amar o corpo que Deus me deu, cuidando dele como habitação do Espírito Santo, me faz caminhar em obediência com o meu Criador e isso me dá esperança em dias melhores. Como diz a Bíblia: "Não tenha inveja dos pecadores, mas tema sempre o SENHOR. Você será recompensado por isso; sua esperança não será frustrada" (Pv 23.17-18).

Levante a cabeça! Você é linda e deve se valorizar, porque Deus a valoriza! Lembre-se de que você é valiosíssima. Deus a fez com dignidade e honra, e você não pode se contentar com pouco. Não aceite relacionamentos em que há abuso emocional, moral ou espiritual. Você não precisa de gente abusiva ao seu lado para achar que tem valor, como se um namorado, por exemplo, estivesse lhe fazendo um favor ao se relacionar com você.

Seu valor não é medido pelo fato de ter alguém ao seu lado ou não, mas porque o Filho de Deus entregou a própria vida por você! E isso foi Jesus mesmo quem afirmou: "Porque Deus amou tanto o mundo que deu seu Filho único, para que todo o que nele crer não pereça, mas tenha a vida eterna. Deus enviou seu Filho ao mundo não para condenar o mundo, mas para salvá-lo por meio dele" (Jo 3.16-17).

FUGINDO DOS OLHARES

Imagine estar em um círculo de amigos em que todos têm a oportunidade de compartilhar algo sombrio sobre seu passado, mas, também, o que tornou possível a superação. André diz que teve problema com drogas, e todos comemoram o fato de ele estar limpo. Carla abre o coração ao discorrer sobre a dor de crescer em um lar desfeito pelo divórcio, e todos aplaudem a sua coragem. Carlos fala sobre sua difícil condição de estar crescendo em uma comunidade pobre e perigosa, sem conhecer o pai traficante de drogas, e alguns amigos mostram compaixão, enquanto outros brincam com a situação a fim de descontrair. É quando Júlia começa a contar sobre o abuso que sofreu na infância pelo próprio irmão.

Ninguém disfarça a surpresa. Um silêncio esmagador toma conta da sala. É possível ouvir o tilintar de um alfinete caindo no chão. Julia sente-se envergonhada pela falta de reação dos demais, mas rapidamente complementa alegando já ter superado a tragédia. Talvez ela não o tenha. Mas deixar essa questão em aberto seria ainda mais desconfortável. Há grande chance de Julia nunca mais compartilhar essa história. É isso que ocorre com muitas vítimas de abuso.

O apóstolo João relata em seu evangelho um episódio que tem tudo a ver com esse assunto. O texto diz que, durante uma de suas viagens, Jesus chega a Samaria, uma região de Israel onde morava um povo rejeitado pelos judeus: os samaritanos. Eles eram malvistos pelo fato de serem o resultado da mistura de israelitas com pessoas de outros povos ao longo de séculos, o que fazia os demais judeus os considerarem impuros.

Jesus senta junto a um poço, onde, por volta de meio--dia, chega uma samaritana que fora buscar água. Ele, en-tão, puxa conversa e, nesse diálogo, ela deixa transparecer que sente vergonha de seu passado. Machucada por sua história de vida, ela é um pouco hostil com Jesus.

O fato de ela pegar água por volta do meio-dia pode parecer insignificante, mas, na realidade, é muito revela-dor. Em geral, as mulheres iam buscar água no começo do dia, quando ainda era cedo, para poder realizar os afaze-res domésticos sem ter de encarar o sol forte. Mas aquela mulher foi buscar água justamente na hora mais quente do dia, pois era melhor enfrentar o calor causticante que o olhar de rejeição das pessoas.

O diálogo daquela mulher com Jesus nos dá pistas que nos levam a entender que ela era socialmente rejeitada.

Pouco depois, uma mulher samaritana veio tirar água, e Jesus lhe disse: "Por favor, dê-me um pouco de água para beber". Naquele momento, seus discípulos tinham ido ao povoado comprar comida.

A mulher ficou surpresa, pois os judeus se recusam a ter qualquer contato com os samaritanos. "Você é judeu, e eu sou uma mulher samaritana", disse ela a Jesus. "Como é que me pede água para beber?"

Jesus respondeu: "Se ao menos você soubesse que presente Deus tem para você e com quem está falando, você me pediria e eu lhe daria água viva".

"Mas você não tem corda nem balde, e o poço é muito fundo", disse ela. "De onde tiraria essa água viva? Além do mais, você se considera mais importante que nosso antepassado Jacó, que nos deu este poço? Como pode oferecer água melhor que esta que Jacó, seus filhos e seus animais bebiam?"

Jesus respondeu: "Quem bebe desta água logo terá sede outra vez, mas quem bebe da água que eu dou nunca mais terá sede. Ela se torna uma fonte que brota dentro dele e lhe dá a vida eterna".

"Por favor, senhor, dê-me dessa água!", disse a mulher. "Assim eu nunca mais terei sede nem precisarei vir aqui para tirar água."

"Vá buscar seu marido", disse Jesus.

"Não tenho marido", respondeu a mulher. Jesus disse: "É verdade. Você não tem marido, pois teve cinco maridos e não é casada com o homem com quem vive agora. Certamente você disse a verdade".

João 4.7-18

Fica claro nesse diálogo que o passado daquela mulher a isolava do mundo. Embora ela não seja um exemplo de abuso, especificamente, casos de abuso têm o poder de gerar desconforto semelhante ao daquela mulher — e não apenas nas vítimas, mas, também, em quem ouve sua história. As manchas do passado parecem marcar a imagem que os demais possuem da vítima, o que torna sua vida muito solitária e, frequentemente, cria uma autoimagem de sujeira e depreciação.

Não importa quanto aquela pessoa possa se mostrar radiante, segura e bem resolvida, a sua história de abuso parece saltar como uma luz fluorescente sobre a sua cabeça, sinalizando que algo, a qualquer momento, pode vir à tona. Muitas vítimas se sentem como ovelhas, marcadas para sempre. Isolam-se em meio a um grupo de pessoas que tiveram uma boa infância. A exposição do passado as afasta das demais, que aos olhos dela parecem ser mais "puras" e "imaculadas". Sentem-se como um projeto que não deu certo.

Infelizmente, em nossa era digital, com frequência as vítimas de abuso passam por um tipo de constrangimento equivalente ao que a samaritana passou. Aquela mulher fugia do contato com as pessoas por medo da reprovação social. Pode ser que uma menina do colégio tenha transado com um rapaz em uma festa e todo mundo acabou sabendo ou, então, ela engravidou do "ficante". Talvez tenha traído o namorado, e o deslize tornou-se público. Pode ser que fotos ou vídeos constrangedores tenham sido divulgados entre os amigos. Coisas assim. É impressionante como esse tipo de situação gera repercussão nas mídias. Em poucas horas, os "advogados", "promotores" e "juízes" da Internet dão seu cruel veredito sobre a ré. Muitas meninas são excluídas dentro da própria igreja por histórias como essas, e isso é muito triste! Aperta meu coração saber que a Noiva de Jesus frequentemente não se parece com ele nesse e em tantos outros aspectos.

Cristo veio para aqueles que estavam perdidos, doentes e marginalizados, como ele mesmo explicou: "Jesus lhes disse: 'As pessoas saudáveis não precisam de médico, mas sim os doentes. Não vim para chamar os justos, mas sim os pecadores'" (Mc 2.17). Ele trouxe para si essas pessoas manchadas pelo passado e ofereceu esperança. Jesus nunca apoiou o pecado, mas sempre abraçou o pecador disposto a se arrepender. Mais que isso, Jesus atraía o pecador, como fica claro no caso de Zaqueu (Lc 19.1-10).

Se a igreja não atrai o pecador, algo muito errado está acontecendo. A partir do momento em que a igreja se torna um lugar de pessoas supostamente "perfeitas" e "super-religiosas", agimos como costureiros tentando remendar o véu que Jesus rasgou com seu sacrifício (Mt 27.51). Não tente isolar aquele que Deus já adotou em sua família. Toda pessoa que deseja mudança e transformação deve encontrar na igreja o acolhimento que Jesus nos ensinou com seu exemplo.

Por terem sido expostas, muitas dessas meninas tendem a evitar novos relacionamentos ou frequentar lugares públicos. Algumas delas até desenvolvem fobia social. Elas se isolam de tudo e de todos, na tentativa de fugir do olhar das pessoas. A igreja, representada por mim e por você, deve ampará-las e cuidar delas.

Se alguém caiu em pecado, o nosso dever não é terminar o serviço, fazendo a pessoa sentir-se ainda pior. É, isso sim, estender a mão. Devemos cuidar, discipular e restaurar amorosamente as pessoas feridas, como sua família espiritual. Uma menina que teve um *nude* vazado, por exemplo, e as pessoas, em vez de abraçá-la, acolhê-la, aconselhá-la e orientá-la, olham para ela de modo acusador, reprovador e segregador, dificilmente terá prazer em continuar a vida. Não é isso o que o evangelho de Cristo nos diz que devemos fazer (Lc 15).

Vergonha e solidão

Imagine uma pessoa que resolva abrir a sua história de abuso durante a reunião de jovens da sua igreja. Ela toma essa decisão por acreditar que se trata de um ambiente seguro, formado por pessoas sensíveis à dor do próximo. Mas, o silêncio que se segue ao relato não foi causado por respeito à dor alheia, em vez disso era um silêncio que denunciava falta de empatia, de compaixão pelo sofrimento do outro. E ela, surpresa, se vê tomada por um enorme sentimento de vergonha.

Muitos cristãos costumam isolar pessoas que cometeram algum tipo de pecado considerado por eles mais grave que outros. Com isso, tais pessoas não só se tornam vítimas do pecado, mas também do julgamento insensível por parte daqueles que não compreenderam o papel da graça restauradora de Cristo. Será que não percebemos que, em nossa sociedade, muitas pessoas caminham em direção ao poço, sozinhas, ao meio-dia, porque não têm ninguém com quem conversar? Pessoas que foram rejeitadas por igreja, amigos e família?

Se você conhece alguém nessa situação, não aja como mero espectador, vendo-o morrer de sede, por causa da rejeição, sem oferecer-lhe da água da vida que é Jesus. E, se é você quem está enfrentando essa situação, talvez porque seu pecado tenha se tornado público e esteja sendo discriminada, saiba que Jesus vem ao seu encontro para lhe dizer que você não está só (Sl 139.1-18).

Lembro-me de uma vez em que estava olhando pela janela do avião e vi uma das paisagens mais lindas da vida. O sol estava refletindo sobre as nuvens um tom de laranja que eu jamais serei capaz de expressar em palavras. Dava vontade de ficar ali a vida inteira, sentindo aquelas cores fazer cosquinhas na alma. O coração parecia derreter com tamanha paz e serenidade. Mas, logo, a paisagem começou a mudar completamente. O avião começou a descer e não vi mais nenhuma bela paisagem. Estávamos entrando dentro das nuvens, onde tudo foi ficando cinza, feio, vazio e deprimente.

O avião começou a balançar um pouco e o comandante pediu que afivelássemos os cintos, sinalizando que estávamos passando por uma zona de turbulência. Depois de tantas viagens aéreas, entendi que na maioria das vezes a turbulência está relacionada às nuvens. Quando o avião passa por dentro delas, perde um pouco da estabilidade, provocando movimentos que nos fazem espremer os olhos, respirar fundo e sentir o coração acelerar. Até onde eu me lembro, a maioria das turbulências pelas quais já passei estava relacionada a uma paisagem cinzenta do lado de fora do avião.

Quando aterrissamos, percebi que São Paulo estava em um de seus dias mais nublados. Era cedo demais para estar tão escuro. Olhei em volta e mal podia acreditar que poucos minutos antes eu estava me deleitando com uma das paisagens mais lindas da minha vida. Fiquei pensando: "As pessoas aqui embaixo não fazem a menor ideia de como está lindo lá em cima, acima das nuvens".

Muitas vezes, quando o dia está nublado, contemplo uma bela paisagem cinza. Nesse tipo de dia, somos inclinadas a achar que o sol não bateu ponto no serviço. Mas um dia nublado não é o mesmo que um dia sem sol. Aquela experiência no avião me fez perceber que o dia pode estar, ao mesmo tempo, ensolarado ou nublado. Tudo depende de onde você está. Se estiver acima das nuvens, verá o sol brilhar. Mas, se estiver abaixo das nuvens e elas forem densas, verá apenas sua opacidade, e poderá até supor que o sol não está lá. Mas ele sempre está. Só não conseguimos vê-lo através das nuvens.

A vida de uma vítima de abuso é como um dia nublado. A dor, a repulsa e a vergonha nos fazem achar que Deus, o nosso sol da justiça, não está conosco. Mas, mesmo que você não consiga enxergar agora, saiba que neste exato momento ele paira sobre você. Sei como é: parece que você está no escuro e, para todo lado que olha, não consegue ver uma boa perspectiva ou uma bela paisagem que lhe traga esperança. Mas ainda que seja esse o seu caso, que você esteja andando por caminhos nebulosos de sofrimento, vergonha, pecado e traumas, eu a encorajo a crer e confiar que esses não são os caminhos de Deus para você. Essa perspectiva negativa que você talvez tenha de sua vida nada tem a ver com a perspectiva do Senhor.

Quando as nuvens escuras que pairam sobre suas emoções se dissiparem, você será capaz de experimentar o seu coração derreter pela paisagem mais linda da sua vida. O sol da justiça brilhará sobre você. É possível que, hoje, você só consiga ver as marcas da dor, mas, acredite, o amor deixa marcas muito maiores. Marcas que não trazem tristeza, mas esperança. Marcas que não trazem incredulidade, mas revelam fé.

"EU ESCOLHI O CAMINHO DA DOR"

Eu tinha 7 anos quando ele começou a entrar no meu quarto, de madrugada. Todas as vezes, ele me acariciava, descia meu pijama e me dizia para não falar nada. Eu não fazia ideia do que estava acontecendo.

Quando ele passou a provocar penetração anal, comecei a perceber que aquilo não estava certo, e não queria mais passar por isso. Mas ele continuava a invadir meu quarto. Durante inúmeras madrugadas eu gritava e tinha pesadelos, um bom motivo para ir dormir com meus pais. Em outras noites, eu implorava para minha mãe dormir na cama comigo. Ela atendia, mas ia embora no meio da noite, e logo eu era acordada por ele, e os abusos reiniciavam.

Até o dia em que eu mesma disse *não*. Comecei a gritar com ele. Meus pais estavam viajando. Eu disse de forma bem veemente que, se ele voltasse, eu revelaria aos nossos pais o que estava acontecendo. Ele disse que nunca mais conversaria comigo, porque eu o estava rejeitando.

Aqueles dias foram enterrados dentro de mim. Apesar de meu irmão mais velho ter cumprido sua promessa e nunca mais ter conversado comigo, esqueci daqueles dias, como se nunca houvessem ocorrido. Simplesmente sumiram da minha memória.

À medida que me tornava mais velha, comecei a ver toda figura masculina com desconfiança, e eu não conseguia entender o motivo. Desde o primeiro namorado, a quem entreguei meus lábios, até um dos últimos, com o qual deitei na cama, não experimentei um relacionamento saudável ou feliz. Não porque eles não tenham tentado fazer dar certo, mas porque eu, na defensiva, deixei de demonstrar afeto e fui agressiva o tempo todo.

Desses relacionamentos, colhi traição, violência, agressão física e desprezo, entre outros problemas que geraram feridas cada vez maiores. A realidade é que eu escolhi o caminho da dor, pois continuava a sofrer abuso, mas desta vez causado por mim mesma.

Eu me tornei minha maior inimiga. Além de ter sido vítima de abuso, fui rejeitada por ter dito *não* a esse ato de violência, e com isso nunca mais consegui dizer "não". Tinha medo das consequências. Sempre acreditei que merecia carregar os problemas do mundo, porque eu sempre os suportava. Afeto ou qualquer demonstração de amor eram sinais de fraqueza, e eu era mais forte que isso.

O mais impressionante é que eu não tinha consciência do que me levava a agir daquela maneira. Tentei mudar inúmeras vezes, mas em nenhuma delas consegui permanecer firme por mais de seis meses. Eu ficava bem, orava, lia a Bíblia e... caía em pecado. Comecei a perceber que minha queda sempre ocorria exatamente seis meses depois de me equilibrar. Mas não pense que era premeditado, porque não era. Então, depois de pecar, eu fazia como Adão e Eva, e me escondia, pois achava que não era mais digna de Deus. Eu não sabia ser amada, nem mesmo por ele.

É importante frisar que nasci em um lar cristão, e toda essa história aconteceu apesar de eu e minha família frequentarmos assiduamente a igreja. Mesmo sabendo da presença de Deus em minha vida, o abuso me levou a não aceitar o fato de ser amada. Consequentemente, após cair em pecado, continuei a manter relacionamentos íntimos com vários homens. Os abusos emocionais se repetiam, porque eu sempre escolhia alguém que acabaria me usando, a ponto de minhas amigas dizerem que eu tinha o famoso "dedo podre".

Foi quando comecei a boicotar tudo na minha vida: trabalho, amizades e o relacionamento com Deus. Eu acreditava que não havia mais saída para mim. Sempre olhava as pessoas na rua e perguntava ao Senhor: por que elas conseguem sorrir? Por que as pessoas são felizes e eu não? Inúmeras vezes me senti tentada a tirar a própria vida. Afinal, eu acreditava, ela era uma desgraça. Nessa época, eu já estava na faculdade e, aos olhos dos outros, tinha uma vida "invejável". Mas era só aparência. Na verdade, nem eu mesma era capaz de compreender por que eu me sentia tão triste.

Até que, um dia, resolvi participar de um retiro cristão de dez dias. No dia anterior ao início do evento, enquanto dirigia para o trabalho, vieram-me à mente as imagens dos abusos que havia sofrido na infância, e comecei a sentir ânsia de vômito e a chorar. Era o início da cura. Desde então, tenho entendido o que é o amor de Deus. Ele trouxe pessoas para me amar de uma forma que vai além do entendimento humano.

Uma atitude que tomei foi contar a meus pais sobre o abuso sofrido na infância, vindo de meu próprio irmão. Como foi difícil! A reação do meu pai foi me dar um abraço de mais de cinco minutos, sem dizer nenhuma palavra. Ele apenas me abraçou. E escrevo isso em lágrimas. Lembrar desse abraço me traz cura até hoje. Ele me amou de uma forma tão profunda, com "apenas" um abraço. Foi o melhor abraço que já recebi na minha vida! Ali, senti a dor ser arrancada de dentro de mim e um bálsamo descer sobre minhas feridas, que vêm cicatrizando ao longo da minha jornada.

Preciso dizer que, inúmeras vezes, bateram a minha porta a pornografia, o lesbianismo, as drogas, o desejo de suicídio e a depressão. Pela graça de Deus, em todas essas situações ele me mostrou que seriam portas que me levariam a lugares de morte — e eu não queria morrer, por mais que já me sentisse morta.

A vida se tornou uma série de escolhas para mim, desde o início do processo de cura da minha alma. Embora a opção por amar e perdoar não seja a primeira que venha à mente da pessoa que sofreu abuso, procuro lembrar-me do exemplo de Jesus. O fato de trazer à memória suas atitudes, já me faz saber que decisão tomar em cada situação. Ainda que a cura seja um processo e eu esteja nessa caminhada, creio que não há nenhuma outra saída além do amor ágape e puro daquele que não só morreu em uma cruz, mas foi ressuscitado pelo Pai. Um Pai que não está apegado à morte, mas que escolhe ressuscitar o Filho, porque sabe que, após a ressurreição, vem uma vida para reinar. Esse amor de Pai não olha para o meu passado com tristeza ou condenação, mas, pelo contrário, nem se lembra mais dele. Deus é um Pai que vai sempre escolher me procurar no jardim secreto, mesmo após eu ter cometido pecado.

Comecei a fazer terapia com uma psicóloga, o que me ajudou muito a entender minhas atitudes, minhas escolhas e os gatilhos que me levavam a agir de maneira diferente da que eu gostaria. Mas é o amor paterno e diário do Senhor que tem me levado a me distanciar cada vez mais daquela pessoa que havia me tornado por causa do abuso. Passei a entender que a abundância de vida começa *agora* e que a alegria plena existe e só é verdadeira se for em Cristo.

Hoje eu escolho sorrir e é por esse sorriso que quero ser lembrada. Porque sei que ele escolheu sorrir quando me formou e olhou para o meu futuro. Retribuir o sorriso é apenas uma reação, não forçada ou ensaiada, mas que flui naturalmente de quem é habitação do Espírito Santo. Foi quando escolhi ser vulnerável que ele iniciou o processo de cura da minha alma.

Gostaria de terminar com um pensamento que sempre escolho ter: Jesus me amou a tal ponto que se colocou no lugar de quem sofreu abuso, para que eu fosse limpa. Não há ninguém que tenha sido tão injustiçado como ele e que tenha escolhido amar tanto e perdoar em contrapartida. Por isso, tenho uma certeza: eu sou uma ex-vítima de abuso.

5

VOCÊ É UMA VÍTIMA, MAS NÃO PRECISA VIVER COMO UMA

*É como observar uma abelha tentando
tirar pólen de uma flor de plástico. Dá
pena de ver.*
GABITO NUNES

Fico pensando onde eu estaria hoje se o amor de Deus não tivesse me resgatado. Eu sou aquela centésima ovelha da parábola da ovelha perdida. O bom pastor deixou todas as noventa e nove para insistir comigo. Sua graça me alcançou e o Espírito Santo me fez ver quanto eu precisava dele. Fico pensando: e se no momento em que ele me avistasse, ainda longe, eu corresse em outra direção? E se, em vez de eu me aninhar em seu colo, eu me contorcesse, pulasse, cabeceasse e esperneasse, até fugir novamente?

Vejo muitas meninas que agem como ovelhas ariscas, recusando o cuidado de Deus. Não me considero melhor que elas, pois eu mesma levei um tempo para reconhecer que estava muito longe de onde deveria. Ovelhas ariscas não reconhecem o estado de perdição em que estão, portanto acreditam estar em segurança. Ainda que estejam afundando na lama, afirmam estar livres.

Meu coração sangra quando olho meninas que sofreram muito com o abuso e não percebem que ainda vivem à sombra dele. Se você é uma delas, preciso dizer-lhe algo. Quando aquele pesadelo aconteceu, você era indefesa em sua inocência de criança e não tinha como se proteger de seu algoz. Mas, hoje, você dispõe de ferramentas que estão sendo gastas para levantar muros em vez de construir pontes. Você se tranca na torre mais alta da tristeza, condena-se a jamais sair da masmorra da depressão, nega-se a olhar a luz da esperança pela fresta da janela da sua alma e bloqueia os acessos principais ao seu coração a fim de se proteger. Mas, com tudo isso, só freia os passos daqueles que a amam e se importam com você. O resultado é que o mal, covardemente, entra sem avisar e se instala rapidamente.

Você se lembra? Sua alma machucada rastejou por anos em busca de compreensão, afeto e cura. Porém, ela resolveu descansar logo no meio dos espinhos! Isto é, nos braços de um amor não correspondido, na mentira de um relacionamento abusivo e na compulsão por coisas que a envenenam lentamente. Aos poucos, sua paz desaparece e seu coração apodrece.

Você agiu e reagiu de muitas maneiras, em busca de qualquer alívio que fosse, ainda que momentâneo, para fazê-la esquecer sua dor. Só que esquecer uma ferida é como se debater em areia movediça: quanto mais você esperneia, mais afunda.

Eu gostaria de abraçá-la neste momento, com um abraço que a apertasse mais forte do que essa angústia lhe tem apertado o peito. Eu a olharia com amor e diria: "Minha amiga, feridas a gente não esquece. Feridas a gente trata!".

Sempre que nos agarramos a uma falsa cura, negamos a existência do real problema. Alegamos estar bem negando o abuso. Alegamos estar felizes negando os danos que o abuso provocou à nossa alma. E, por negar o poder restaurador de Deus, alegamos não haver solução para a nossa dor. No entanto, ao fingir não possuir feridas, na verdade está evitando que elas sejam tocadas e tratadas.

Uma menina que sofreu abuso sexual e não foi de fato curada pode ser muito crítica consigo mesma ou com as pessoas em volta. Essa atitude tem como objetivo — até mesmo inconsciente — desviar o foco da dor do abuso sofrido. Há casos de meninas que sentem um enorme desejo de punir o próprio corpo. Algumas se mutilam e dizem ser uma forma de "tentar aliviar a dor interna, causando dor externa". Essa dor interna, porém, não é nada além de culpa — culpa por desejar ser amada. "Ele só abusou de mim porque eu permiti", creem equivocadamente. A carência de ser amada e apreciada de forma pura e legítima existe. Toda criança é sensível ao toque, pois Deus nos fez para amar e ser amados. Esse desejo é premente dentro de nós, e você não é culpada por responder à sua natureza.

Vemos casos de meninas que carregam um senso profundo de culpa por serem mulheres. Algumas expressam o desejo de retirar o útero ou recorrer a medidas que diminuam a sua feminilidade. Outras sabotam o próprio corpo ao comer de forma compulsiva. Algumas desenvolvem bulimia. E há aquelas que desejam tirar a própria vida.

Muitas garotas que sofreram abuso comparam-se constantemente a outras. Elas se diminuem, sabotando o próprio valor, seja "estragando" ou "punindo" o corpo, seja tornando-se céticas diante de elogios. Em todos os casos, suas atitudes são motivadas por um profundo senso de autodesvalorização. Essas vítimas se apegam à crítica como forma de se esquivar do prazer, tendo em vista que sua alma foi violada também pelo prazer que sentiram antes, durante ou depois do abuso.

Muitas mulheres que sofreram abuso enveredam por relacionamentos abusivos. Elas se acostumaram a ser usadas, prejudicadas ou ignoradas. Por essa razão, qualquer relacionamento com essas características é tido como familiar. Sem se dar conta, elas acabam atraídas por ele.

Já os relacionamentos que trazem uma perspectiva diferente, que ofereçam esperança e segurança, deixam essas mulheres assustadas, por se tratar de algo novo, que elas jamais experimentaram. Meninas que se sabotam ou têm baixa autoestima estão, em sua maioria, evitando a aproximação das pessoas ou tentando fingir que não desejam que alguém se importe de verdade com elas. Quando se tornam excessivamente críticas, reforçam para si mesmas a ideia de que não precisam do amor de ninguém. Com isso, afastam as pessoas. Na verdade, essa atitude é uma forma de tentar evitar futuras decepções.

O foco dessas mulheres não deveria estar em atacar a si mesmas ou os possíveis relacionamentos estáveis e equilibrados, mas na sua necessidade de ser restauradas em Deus. Só assim poderão viver uma cura real.

NÃO DEIXE O MEDO DOMINÁ-LA

Lembro-me de quando eu guardava vários medos dentro de mim: medo de nunca conseguir perdoar ou esquecer, de perder a esperança, de não conseguir ser feliz, de Deus desistir de mim, de que a angústia jamais passasse, de demonstrar sentir medo... Eram tantos medos que eu evitava tudo e todos.

Hoje, ainda tenho alguns medos, mas eles não me dominam mais. Esse é o segredo.

A Bíblia relata um episódio significativo da vida de Jesus:

> Logo em seguida, Jesus insistiu com seus discípulos que voltassem ao barco e atravessassem até o outro lado do mar, enquanto ele despedia as multidões. Depois de

mandá-las para casa, Jesus subiu sozinho ao monte a fim de orar. Quando anoiteceu, ele ainda estava ali, sozinho.

Enquanto isso, os discípulos, distantes da terra firme, lutavam contra as ondas, pois um vento forte havia se levantado. Por volta das três da madrugada, Jesus foi até eles, caminhando sobre as águas. Quando os discípulos o viram caminhando sobre as águas, ficaram aterrorizados. "É um fantasma!", gritaram, cheios de medo.

Imediatamente, porém, Jesus lhes disse: "Não tenham medo! Coragem, sou eu!".

Então Pedro gritou: "Se é realmente o senhor, ordene que eu vá caminhando sobre as águas até onde está!".

"Venha!", respondeu Jesus.

Então Pedro desceu do barco e caminhou sobre as águas em direção a Jesus. Mas, quando reparou no vento forte e nas ondas, ficou aterrorizado, começou a afundar e gritou: "Senhor, salva-me!".

No mesmo instante, Jesus estendeu a mão e o segurou. "Como é pequena a sua fé!", disse ele. "Por que você duvidou?"

Quando entraram no barco, o vento parou. Então os outros discípulos o adoraram e exclamaram: "De fato, o senhor é o Filho de Deus!".

Mateus 14.22-33

O apóstolo Pedro andou sobre as águas quando Jesus o chamou; ele teve medo, mas foi. No meio do caminho, porém, começou a afundar. Não porque ele duvidava do poder de Jesus, mas porque sentiu medo, o que o levava a duvidar de si mesmo. O medo sempre tentará puxá-la para as profundezas, mas, se você não resistir, Jesus sempre a trará à tona para respirar.

Quando a gente vive movida pelo medo, no fundo nem vive. Não fazemos nada cem por cento. Sabe como é? Você faz amigos, mas nunca permite que eles sejam muito próximos. Você abre seu coração, mas, logo que alguém começa a entrar, você bate a porta com força. Você faz planos, mas não dá nenhum passo para tirá-los do papel. Você se casa, mas não se torna um com aquela pessoa. E, assim, a gente vive pela metade. Ama pela metade. Confia pela metade. Sente pela metade. É feliz pela metade. Onde buscamos o que nos falta? Onde encontramos o que nos fará viver por inteiro? No dinheiro? Nos prazeres passageiros? Na fama? Não.

Certo dia, entendi que só teria a minha vida totalmente restaurada para vivê-la por inteiro quando permitisse que o amor libertasse minha alma. Deus é amor! Se você me perguntar como fiz isso, eu lhe direi que não foi do dia para a noite, ou como num milagre imediato. Eu vivencio o meu milagre dia após dia. Amo o que Paulo escreveu: "Portanto, permaneçam firmes nessa liberdade, pois Cristo verdadeiramente nos libertou. Não se submetam novamente à escravidão da lei" (Gl 5.1).

"Estar firme" diz respeito a uma condição passageira. Entretanto, "permanecer firme" se trata de continuar tentando e não desistir. É assim que me vejo, caminhando livremente cada vez para mais perto da minha restauração completa.

Somente no amor buscamos aquilo que nos falta. O verdadeiro amor tem o poder de libertar nossa alma de todo o dano causado pelo sofrimento. Porque, se a dor deixa marcas, o amor deixa outras muito mais profundas.

A dor do nosso pecado deixou marcas em Jesus, levando-o à cruz. Mas o amor que o levou a se entregar por nós nos marcou para sempre. Afinal, *ele é o próprio amor*.

O perfeito amor lança fora todo medo. Mas, para que entendamos plenamente o que isso significa, temos de compreender o que significa amar. Quando Deus nos disse que amássemos o próximo como a nós mesmo, ele também tinha em mente que esse próximo poderia ser alguém terrível e indigno de amor, como aquele que comete abuso. Como a amante do marido. Como o pai ou a mãe omisso e ausente. Mas, o entendimento dessa realidade nos leva à revolta, afinal como amar alguém que só nos faz sentir ira? Parece uma proposta absurda!

O que precisamos saber é que a origem desse conflito está na forma equivocada como enxergamos o amor. Amar não significa ser saco de pancadas, pois o mesmo amor que tudo sofre também é o amor que não se conforma com a injustiça. É totalmente normal amor e ira estarem lado a lado, e a cruz é o verdadeiro reflexo disso. Deus deu o seu único Filho para morrer em nosso lugar, evidenciando tanto o seu amor pela humanidade quanto a sua ira contra o pecado.

Se você sente ira pelo que lhe aconteceu, tudo bem. É um sentimento legítimo. Mas Paulo nos diz: "E 'não pequem ao permitir que a ira os controle'. Acalmem a ira antes que o sol se ponha, pois ela cria oportunidades para o diabo" (Ef 4.26-27). Essa verdade bíblica nos mostra que é possível se irar sem pecar. Se a sua ira é depositada no anseio pela justiça divina, significa que você aguarda pelo dia do julgamento e esse certamente virá. Mas, se a sua ira alimenta comportamentos cheios de ódio contra alguma pessoa, contra você mesma ou contra Deus, você está se distanciando do propósito original para o qual foi criada. Você pode ter sede de justiça, mas nunca sede de vingança, ódio ou rebeldia. A ira até caminha com o amor, mas o amor anula a necessidade de vingança.

Não deixe para lá; deixe para Deus

O apóstolo Paulo escreveu, em sua carta aos cristãos de Roma, que, quando pagamos o mal com o bem, colocamos brasas vivas sobre a cabeça daquela pessoa que nos causou dano (Rm 12.20). Brasas vivas são aquele carvão aceso da churrasqueira. Segundo o teólogo John Stott, na cultura de Paulo, "colocar brasas vivas sobre a cabeça de alguém" significava constranger ou envergonhar aquela pessoa. Isso porque o calor que sai das brasas deixa o rosto da pessoa vermelho, semelhante a quando alguém está envergonhado.*

Toda vez que você não revida o mal, mas responde a ele com um ato de misericórdia, acaba envergonhando a pessoa.

Pagar o mal com o bem não significa que deixaremos para lá, mas que deixaremos para Deus. Deus chama constantemente o pecador ao arrependimento e nos convida a esperar por sua justiça divina: "Amados, nunca se vinguem; deixem que a ira de Deus se encarregue disso, pois assim dizem as Escrituras: 'A vingança cabe a mim, eu lhes darei o troco, diz o Senhor'" (Rm 12.19).

---

* *A cruz de Cristo*. São Paulo: Vida, 1991.

O propósito de fazer o bem é destruir e travar a ação do mal. É aniquilar o domínio de Satanás sobre a humanidade, e não aniquilar a humanidade. A sede por vingança nos leva a desejar a destruição do agressor, e isso não condiz com o plano original e redentor de Deus. É normal que você deseje que aqueles que a feriram paguem pelo que fizeram — e, acredite, eles pagarão. Porém, seus agressores não pagarão pela ofensa contra você, mas pela ofensa feita a Deus pelo pecado que eles cometeram. Portanto, homens e mulheres que têm prazer no mal prestarão contas ao Senhor dos senhores. Se, porventura, aqueles que cometeram abuso não se arrependerem, terão a sentença e receberão a punição da parte de Deus.

Eu convido você a não mais alimentar esse ódio que insiste em se espalhar em seu coração. Quero encorajá-la a constranger com perdão e misericórdia aqueles que violaram a sua alma. Deixe Deus cuidar de tudo. Ele é o seu juiz.

Se Deus lhe desse a oportunidade de decidir entre ele destruir quem abusou de você de forma brutal ou restaurá-lo para ser novamente a pessoa que Deus planejou que ela fosse, qual seria a sua escolha? Um coração movido por ódio e sede de vingança desejaria que aquele que causou sua dor fosse morto sem misericórdia; entretanto, seguir por esse caminho é dizer que você não é melhor do que quem a feriu. Já um coração movido por amor, ainda que acompanhado por ira, desejaria que o agressor fosse alcançado pela graça restauradora de Deus.

Eu dei um grande passo quando decidi perdoar o homem que me tocou indevidamente na infância. Mas consegui fazê-lo somente porque um dia eu entendi a alegria de ser restaurada por Deus, o que me faz desejar a restauração de quem me feriu. Quem viveu a alegria de ser perdoado por Deus sabe como é a alegria de perdoar alguém.

Mesmo em meio a toda dor, fechei os olhos e, por alguns minutos, imaginei como seria se aquele homem fosse restaurado por Deus e se arrependesse do mal que causou. Eu o imaginei se voltando para a cruz e clamando por misericórdia e perdão, enquanto confessava seus pecados. Você consegue imaginar aquela pessoa que lhe causou tantos prejuízos emocionais tendo a chance de um encontro real com o Deus de amor? O mal seria destruído, e a vida se tornaria melhor! Assim, assumimos um posicionamento ousado e corajoso como instrumentos nas mãos de Deus. Instrumentos para que pessoas escravizadas pelo pecado, que praticam o mal, possam ter um relacionamento restaurado com Deus.

O QUE VOCÊ CONSTRUIRÁ: PONTES OU MUROS?

Sempre que alguém fala a verdade dispõe-se a construir pontes que darão acesso à liberdade. Sempre que alguém mente ou omite a verdade, constrói muros e aprisiona tanto quem está do lado de dentro quanto quem está do lado de fora. Precisamos encarar o fato: se no próprio jardim do Éden o mal tentou Adão e Eva apenas com um fruto, quanto mais nos dias de hoje, onde o mal reina e tem à sua disposição as ferramentas mais tecnológicas. Nesse sentido, qualquer ambiente pode oferecer riscos, até mesmo nosso lar, a casa de parentes ou a igreja. Claro que não devemos viver em paranoia, mas sempre é necessário estar alertas.

Por essa razão, os pais e outros responsáveis precisam orientar filhos e filhas, desde a mais tenra idade, para que saibam os limites que precisam impor ao contato físico das pessoas — mesmo parentes, líderes eclesiásticos e irmãos em Cristo.

As crianças cristãs crescem frequentando a igreja, mas quantas têm acesso a orientações acerca do próprio corpo e dos limites dos toques de um adulto? Será que os pais cristãos não deveriam ser orientados ou treinados de forma mais ostensiva para criar em casa um ambiente de segurança no qual a criança se sentisse à vontade para contar algo "estranho" que pudesse acontecer-lhe?

Se você é líder, influenciador, orientador, profissional, pai ou mãe, interceda por direcionamento a respeito de como você pode se posicionar e instruir. Afinal, a melhor arma para evitar o abuso é a informação.

Não sofra em silêncio

Você já parou para imaginar quantas garotas e até rapazes podem estar lendo este livro, além de você? Talvez a maioria carregue segredos e sofra em silêncio, à espera do momento em que alguém abra o caminho para a confissão. Fico triste com a quantidade de pessoas que guardam suas dores para si.

É bem verdade que, como nunca antes, cada vez mais pessoas estão denunciando os abusos sofridos, mas ainda é grande o número de vítimas que silenciam, dado o estigma que essa questão ainda impõe sobre elas. Isso precisa mudar. Na verdade, tenho fé que os tempos estejam mudando! Deus está preparando pessoas corajosas a fim de que se levantem com ousadia para denunciar o mal. Seria você uma delas?

Não podemos deixar o sofrimento nos silenciar. Você pode promover o bem a partir de sua experiência. Não deixe que sua alma afunde em tristeza e dor. Lute! Acredito que o primeiro bem que fazemos é confessar a existência de um problema, que o segundo é encará-lo e buscar ajuda, e o terceiro é equipar-nos psicológica e espiritualmente para combatê-lo.

As denúncias de casos de abuso sexual partem, em geral, de conhecidos das vítimas, raramente é uma iniciativa das pessoas abusadas, que, por um misto de medo e culpa, em geral passam décadas sem compartilhar a dor com ninguém. Eu não desejo que você sepulte anos da sua vida carregando um fardo que não é seu. Nada do que você tenha dito, vestido ou feito a torna culpada do abuso que sofreu. Falar talvez não resolva todo o problema, mas falar, confessar e colocar para fora tudo o que está entalado na garganta é a alegria de virar a página. O sol que vem depois da tempestade não repara os estragos deixados por ela, mas traz a certeza de que o pior já passou. O rei Davi escreveu em um de seus salmos bíblicos: "O choro pode durar toda a noite, mas a alegria vem com o amanhecer" (Sl 30.5).

Se você pudesse ao menos falar, o coração poderia respirar aliviado. Os pés da alma teriam uma pausa para se esticar fora do sapato apertado chamado silêncio. As feridas do coração são como bolhas nos pés que nunca cicatrizam, porque precisam de ar fresco e remédio, e assim permanecem ocultas, doendo em segredo, apertando a cada passo. E, quanto mais você tenta prosseguir, mais aperta. Entretanto, quando uma alma cansada encontra alguém sensível e que se porta de maneira digna de confiança, ela pode finalmente receber alívio. É muito bom ver essa pessoa se desprender de seu segredo sufocante e degustar a alegria de vê-la se libertar como a borboleta se liberta do casulo.

Expressar-se e falar sobre o que aconteceu é altamente recomendável, inclusive com o cônjuge. O psiquiatra Dan Allender explica que, ainda que existam algumas exceções, normalmente a vítima de abuso deveria discutir com seu marido o evento ocorrido no passado. Ambos devem fazer a sua parte na construção da confiança mútua no casamento. Se você deseja muito falar sobre seu passado, peça sabedoria a Deus para esperar o momento e a fase certa para isso.

Perdoar e não esquecer

Não existe cura para o abuso sem que a vítima perdoe quem dela abusou. Se ela não perdoar seu agressor, viverá eternamente ressentida, isto é, revivendo a dor do abuso. Somente o perdão abre as portas da cura, pois perdão é uma atitude divina, libertadora, transformadora e restauradora.

No entanto, o ato de perdoar jamais deve ser uma imposição. Você não deve se sentir pressionada a perdoar quem a feriu. Algumas pessoas precisam de mais tempo que outras. Não existe um cronograma para perdoar, mas quero encorajá-la a, no tempo certo, trilhar esse caminho de cura.

"Mas, Fabi, eu não posso me esquecer de tudo o que me fizeram!", você pode dizer. Eu responderia: "Eu sei. Eu também não esqueci! Mas, acredite, perdoar não depende de esquecer!". Pode parecer louco e também controverso, mas sinto uma pontinha de alegria por saber que perdão é diferente de esquecimento. Porque, francamente, se, para provar que perdoei de fato quem me magoou, eu precisasse apagar da memória todas as decepções sofridas, acreditaria que nunca perdoei.

Tenho um coração temente a Deus e me esforço para me parecer com ele. Busco usar de misericórdia sempre. Mas, meu cérebro funciona que é uma beleza! Guardo todas as lembranças dos abusos sofridos. Às vezes eu até gostaria de não guardar, mas guardo, e, apesar disso, sei que perdoei. Perdoei, mas não esqueci!

Por que compreender essa realidade é de grande ajuda? Porque, ao saber disso, você não vai se lamentar, dizendo: "Eu não consigo perdoar. Já tentei, mas sempre lembro do que aconteceu e sofro por tudo aquilo novamente". Você não precisa se culpar por não conseguir esquecer! Lembrar do abuso sofrido significa que seu cérebro está em bom funcionamento. Mas e o seu coração? Ele também está em bom funcionamento? Se você está vivendo o processo do perdão, então alegre-se! Perdoar e não esquecer só significa que está tudo funcionando bem. Perdoar é sinal de que o coração está funcionando com perfeição. Não esquecer é sinal de que o cérebro também está.

Ter uma compreensão maior do perdão é libertador. Até me lembrar, em 2016, dos detalhes do abuso que sofri, vivi como se jamais tivesse passado por isso. A minha mente, por alguma razão, bloqueou aquela memória ruim por muito tempo. E quando, finalmente, a lembrança do abuso veio à tona, em forma de sonho, lembro-me de chorar. Chorei tudo o que precisava chorar. Chorei de vergonha, nojo, raiva, sede de vingança, revolta e arrependimento, por me permitir desejar pagar o mal com o mal. Levou um tempo para perdoar, mas ao fazê-lo pude louvar a Deus novamente e abraçar minha cura. Eu dizia: "Eu o perdoo" como se estivesse cara a cara com aquele homem. Eu já tinha em mente quão importante era dar esse passo. Talvez, no seu caso, o importante não seja perdoar alguém, mas clamar pelo perdão de Deus para você mesma, caso um dia tenha duvidado do que Deus faria na sua vida.

Se em algum momento de dor e sofrimento você se rebelou e virou as costas para o amor de Deus, então a sua oração deve ser: "Deus, perdoa-me por não ter acreditado que tu estavas no controle da minha vida. Perdoa-me por ter duvidado da tua forma de agir e trabalhar. Perdoa-me por ter me fechado dentro do casulo da tristeza profunda e por ter desejado me esconder de ti".

Em todos os casos, quando lidamos com frustrações, precisamos ter em mente que a dor não é o pior de tudo. A dor permitida por Deus não vem para destruir, mas para nos dar uma nova perspectiva da vida.

Dias depois da minha oração sincera a Deus, quando eu pensava ter superado o que passei, num momento de reflexão tentei retomar os fatos. Eu ainda estava tentando digerir os detalhes e, no fundo, acreditava na vã esperança de encontrar alguns "porquês". Era para ser um momento de autoanálise e não de remoer as dores vivenciadas lá atrás. Encarar o que eu não poderia mudar... para quê?

Sem prever que aquilo aconteceria, eu me desmanchei em lágrimas novamente. Entretanto, daquela vez chorei não por causa do que me fizeram, mas por me permitir sofrer de novo por algo que para mim já estava resolvido. Chorei porque pensei que, no fundo, eu não perdoara coisa alguma e que provavelmente jamais perdoaria. Chorei de raiva de mim. Lembro de me cobrar: "Não chore, você já superou isso! Por que você está chorando? Pare! Isso não melhora as coisas. Ah, Deus... a quem estou tentando enganar, Pai? Não posso esconder os meus sentimentos de ti. Eu acho que nunca vai deixar de doer".

Será verdade? Será mesmo que certas dores jamais deixarão de doer? Não posso afirmar isso como uma verdade absoluta. Pode ser que um dia não doa mais; eu realmente não sei. É possível que algumas pessoas não sintam mais dor ao lembrar do ocorrido. Viver dessa forma deve ser libertador! Mas precisamos considerar igualmente libertador que lembrar e chorar também faz parte da vida daqueles que perdoaram.

O que difere uma ferida de uma cicatriz é a reação provocada nas pessoas que olham para elas. Feridas geram repulsa, angústia, aflição e medo. Já cicatrizes geram expectativas por trás da história, empolgação pela superação e ânimo e esperança para aqueles que ainda estão na fase da ferida latente. Ouvir a história de alguém que deu a volta por cima e reencontrou alegria de viver mesmo diante das piores adversidades pode ser muito alentador.

Duvido que sejamos capazes de esquecer certas dores. Nem faz sentido. É cruel proibir alguém de chorar. Uma mãe que perdeu seu bebê pode chorar ao lembrar da dor da perda, ainda que, após o episódio, ela tenha tido outros filhos que lhe deem grande alegria. Uma mulher pode chorar ao recordar quão profunda possa ser a dor de uma decepção amorosa ainda que, hoje, ela esteja casada e feliz. Uma pessoa pode chorar ao lembrar da dor de perder alguém para o suicídio, ainda que ela já tenha superado o luto.

Chore quantas vezes quiser! Chorar alivia a alma cansada. Mas não desista de respirar fundo toda vez. Não desista de sonhar com o dia em que toda lágrima cessará no nosso eterno lar. Não desista de, mesmo com o rosto inchado e o nariz entupido, colocar um sorriso no rosto e caminhar mais uma milha.

"SIM, EU O PERDOEI"

Tenho 18 anos e, sim, eu sofri abuso sexual! Meu coração aperta quando relembro tudo o que vivi. Nenhuma de nós merece passar por isso, mas, pelo menos, a pessoa que abusou de mim não chegou a me penetrar.

Tudo começou em 2010, quando eu tinha 11 anos. Eu morava com minha mãe, meu padrasto e minha irmã, que tinha poucos dias de vida. Foi quando tudo começou. Foi ele, meu padrasto, o homem que morou na minha casa durante dez anos, que abusou de mim, acabou com minha infância e destruiu uma parte da minha vida. Ele me molestou durante cinco anos, passando a mão no meu corpo. Foram anos infernais. Era terrível ter de viver com um homem que me molestava em casa, quando ninguém estava olhando, e que, na frente das pessoas, posava de homem perfeito, empresário bem-sucedido, homem guerreiro. Mas era só uma fachada. Apenas eu o conheci como ele realmente era.

Você pode estar pensando por que não contei para minha mãe. Mantive silêncio porque ele me ameaçava, dizia que ninguém acreditaria e que eu sofreria represálias caso contasse para alguém. E eu passei aqueles cinco anos acreditando nisso, que não me dariam crédito em razão da imagem que ele mantinha.

Meu padrasto não era bobo e fazia a cabeça de todos, dizendo que eu era uma menina malcriada, só porque não queria sair quando ele estava junto, porque não queria jantar à mesa quando todos estavam, porque não queria participar de nada quando ele estava presente. Por cinco anos, me viram como um monstro.

Em 2014, conheci o homem que hoje é meu noivo. Ele foi a primeira pessoa com quem tive coragem de me abrir. Depois, contei para o meu pai, que mora em outro país. Ele, por sua vez, avisou minha mãe, que não acreditou. Sabe o que eu fiz? Fingi uma situação, dizendo a ele que não queria mais que encostasse em mim, porque estava namorando uma pessoa, e não aceitaria mais aquilo. Ele respondeu que não faria mais aquilo. Sem que ele soubesse, eu estava gravando a conversa. Foi a última semana dele dentro da minha casa.

Com a gravação, prestei queixa na polícia e entramos com um processo. Hoje, ele está foragido, sendo procurado pela polícia, pois foi condenado a quinze anos de prisão. Teve de deixar para trás dois filhos e uma mãe doente.

Hoje, minha mãe e eu temos uma relação ótima, e somos uma família de verdade: eu, ela e a minha irmã.

Durante o processo criminal, nós sofremos muito. Fomos julgadas, disseram que tínhamos inventado tudo, sofremos mil pedradas, mas mantive minha cabeça erguida até o final. Hoje, minha irmã, que é filha biológica dele, é a que mais sofre. Ela pergunta pelo pai, questiona por que ele não liga mais, por que não a vê mais, e sempre temos de inventar uma desculpa. Ela só tem 7 anos e ainda não podemos lhe contar a verdade. Isso me dói muito, pois me sentia culpada e arrependida sempre que a via chorando noites e noites com saudade dele.

Se eu o perdoei? Sim, eu o perdoei. Mas não esqueci o que fez. Assim que tudo aconteceu e pusemos um fim ao abuso, entreguei minha vida a Jesus. Em oração a Deus eu o perdoei, mas isso não significa que ainda não sofro com isso, pois sofro. É muito ruim lembrar de tudo o que vivi.

Hoje, sou uma pessoa em formação e agradeço a Deus todos os dias por ter me tirado de onde me tirou e por ter me colocado na posição de poder relatar essa história para que possa ajudar outras meninas.

Lembre-se sempre: NÃO ESTAMOS SOZINHAS!

6

UM NOVO EU, UMA NOVA HISTÓRIA

Eu só posso responder a pergunta "o que devo fazer?" se antes responder à pergunta "de que história eu faço parte?".

ALASDAIR MACINTYRE

Talvez este seja um daqueles momentos em que ficamos empolgadas, com intenso desejo de pôr para fora e viver na prática aquilo que está queimando dentro de nós. Quem sabe você esteja se sentindo outra pessoa, pronta para viver uma nova história, mas não sabe por onde a "nova você" deve começar a agir e em quais aspectos será diferente da "antiga você".

Tudo começa quando nos conscientizamos do que fazemos e de nossas motivações para isso. Mas o saber que não leva à prática não gera mudanças verdadeiras. Apenas ler, concordar e acreditar que você será uma nova mulher a partir de hoje não é o suficiente para viver na pele essa nova identidade. Jesus nos alertou acerca da importância de praticarmos a verdade:

> Quem ouve minhas palavras e as pratica é tão sábio como a pessoa que constrói sua casa sobre uma rocha firme. Quando vierem as chuvas e as inundações, e os ventos castigarem a casa, ela não cairá, pois foi construída sobre rocha firme. Mas quem ouve meu ensino e não o pratica é tão tolo como a pessoa que constrói sua casa sobre a areia. Quando vierem as chuvas e as inundações e os ventos castigarem a casa, ela cairá com grande estrondo.
>
> Mateus 7.24-27

Ler este livro sem colocar em prática as dicas a seguir não mudará sua vida; só acrescentará mais informações à mente. Sem a prática, seu processo de mudança estará comprometido, assim como comprometida está a construção de uma casa sobre a areia. Mas, se você realmente praticar os conselhos bíblicos aqui mencionados, a sua nova identidade em Cristo será consolidada em uma vida de novos hábitos. O pastor presbiteriano Craig Dykstra escreveu: "A vida da fé cristã é a prática de muitas práticas".*

Você precisa desenvolver novos hábitos que combinem com essa sua nova versão! Quando fixamos uma ideia na mente, fica muito mais fácil fixá-la na prática, então não se esqueça de sempre reforçar as palavras que Deus ministrou ao seu coração ao longo destas páginas. Elas a ajudarão a viver essa transformação a cada dia. Volte, releia os trechos que você grifou e medite novamente neles. Tenha certeza de que Deus pode falar de maneiras diferentes com você por meio das mesmas palavras. Eu criei este capítulo como uma espécie de manual prático. Afinal de contas, não basta pensar como uma nova mulher, você precisa agir como uma.

Eu desconheço melhor combinação do que esta: leitura da Bíblia, oração e jejum. Esses três hábitos serão fortes auxiliadores no processo de lapidação do seu novo eu e na consolidação da sua nova identidade em Cristo.

Leia a Bíblia. Ela é o alimento para a nossa alma.

Ore. Oração não são palavras memorizadas lançadas ao vento. Em meu livro *Ele me ama*, falei a respeito da oração dos ignorantes e entre elas está a tentativa de manipular a ação de Deus, a conversa com a própria consciência e a lista de pedidos. Paulo escreveu que muitos não recebem porque não sabem pedir como convém (Rm 8.26).

---

* *Growing in the Life of the Faith*, 2 ed. Louisville: Westminster John Knox, 2005, p. 67.

Jejue. Muitos cristãos ignoram a importância dessa prática ou a consideram difícil demais para desenvolvê-la com frequência. Entretanto, se soubéssemos o poder do jejum, lhe daríamos mais atenção. É só lembrar que Jesus, mesmo sendo totalmente Deus, jejuou por quarenta dias. Se isso é assim, quanto mais você e eu, que somos totalmente humanas e limitadas.

Medite. Uma das práticas mais eficientes na minha vida sem sombra de dúvida é a meditação. Muitas pessoas logo imaginam um cenário espiritualista e a clássica posição de ioga, pernas entrelaçadas e mãos formando um "O". Mas a meditação na Bíblia consiste em refletir em silêncio e permitir que a Palavra de Deus germine em seu coração recém-arado durante o jejum. Sempre gosto de meditar após a oração; assim, eu me coloco em silêncio para ouvir Deus falar. É como se a meditação fizesse parte da oração, e isso, mais uma vez, me lembra que a oração é uma conversa, um diálogo, e não um monólogo. A Bíblia diz que Jesus subia ao monte para meditar. Separe seus momentos de silêncio com Deus.

Escreva. Tenha um diário para escrever qualquer coisa. Não precisa seguir um curso ou uma ordem, simplesmente deixe jorrar no papel o que está dentro de você. Com o tempo perceberá como é libertador! Escrever este livro foi uma experiência incrível para mim.

Converse. Não é só pelo aconselhamento que vítimas de abuso andam sozinhas. Apesar de todas as práticas acima serem transformadoras, estabelecer conexão com outras pessoas, vítimas ou não, a guiará por um nível diferente de cura.

CONCLUSÃO

O apóstolo Paulo escreveu: "Considero que nosso sofrimento de agora não é nada comparado com a glória que ele nos revelará mais tarde" (Rm 8.18). Esta vida e suas dores são passageiras, por isso o mais importante em nossa existência é cumprir os propósitos daquilo que é eterno.

Só é possível caminhar dentro dos planos de Deus e com paz no coração se confiarmos nele. Por essa razão, desejo que, a partir de hoje, você experimente um novo nível de confiança em Deus. E que, uma vez que descanse no seu Criador, em seu infinito amor e em sua grande misericórdia, você encontre a paz de que precisa.

Acima de tudo, Deus espera que o amemos verdadeiramente. Se amarmos a Deus apenas quando a vida sai como planejamos, então, na verdade, só amamos por interesse. Escolha se deleitar em Deus simplesmente por quem ele é e, então, você experimentará o mais sublime amor.

Tenho consciência de que muitas das leitoras deste livro passaram por abusos mais graves que o que eu sofri e que não tenho larga experiência em superar quadros horríveis de desgraça e injustiça. Mesmo não tendo sofrido tanto quanto muitas outras vítimas de abuso, esforcei-me neste livro para transpor as barreiras que estavam diante de mim e me coloquei como instrumento nas mãos de Deus para tocar outras vidas. Imagine o que você é capaz de fazer com a sua história de vida se decidir dar a volta por cima! Apenas tente imaginar a alegria de trilhar um caminho de perdão, amor próprio, superação e esperança e, a cada passo, mostrar a direção para outras pessoas que estão passando pela mesma dor que você. Afinal, fomos feitos para crescer em unidade, ajudando uns aos outros, e essa também é uma maneira de vivenciar a nossa cura em Deus.

Jesus sabe o que é sofrer as mazelas deste mundo. Ele nos estende a mão para que passemos pelas adversidades confiando e dependendo inteiramente dele. Jesus entende você, pois experimentou nossas aflições, tentações e dores:

> Visto, portanto, que temos um grande Sumo Sacerdote que entrou no céu, Jesus, o Filho de Deus, apeguemo-nos firmemente àquilo em que cremos. Nosso Sumo Sacerdote entende nossas fraquezas, pois enfrentou as mesmas tentações que nós, mas nunca pecou. Assim, aproximemo-nos com toda confiança do trono da graça, onde receberemos misericórdia e encontraremos graça para nos ajudar quando for preciso.
>
> Hebreus 4.14-16

Algumas pessoas acabam endurecidas por conta da dor. Elas se fecham em amargura e rancor contra tudo e contra todos. Afundam cada vez mais na falta de perdão. Mas, se você desejar ter uma vida plena, abrace a convicção de que Deus nunca a deixou e nem por um segundo a abandonou. O nosso Pai nos ama incondicionalmente. Ainda que você tenha trilhado por caminhos de vergonha e culpa, Deus a convida a experimentar algo novo. Ele a convida a experimentar a restauração de sua alma, vencendo a sua carne enquanto desenvolve total dependência dele. A neurocientista Caroline Leaf escreveu: "Deus nos projetou para sermos vencedores da carne e para conquistá-la, mas há um truque: vencer a carne é algo que só possui sustentabilidade em Cristo (Rm 7.24-25; 8.37; Gl 2.19-21)".*

Quando vivemos de acordo com a carne vivemos escravos das feridas, dos traumas e vícios, mas, se vivermos de acordo com o Espírito, experimentaremos seu fruto: amor, alegria, paz, paciência, amabilidade, bondade, fidelidade, mansidão e domínio próprio (Gl 5.21-22).

Caminhar com Deus não significa nunca ter dúvidas ou medos, mas, sim, nunca parar na estrada. A nossa jornada não acaba aqui, este é apenas o ponto de partida. A cada dia me sinto mais próxima da versão da Fabiola que Deus planejou que eu me tornaria. Como escreveu Jack Frost: "Todo dia sou transformado um pouco mais no homem que fui criado para ser, a fim de que as pessoas pudessem sentir o amor de Deus através de mim".** E lembre-se desta importante verdade bíblica:

> Pois o Senhor é o Espírito, e onde está o Espírito do Senhor, ali há liberdade. Portanto, todos nós, dos quais o véu foi removido, podemos ver e refletir a glória do Senhor, e o Senhor, que é o Espírito, nos transforma gradativamente

---

* *Seu perfeito você*. Brasília: Chara, 2018.
** *Sentindo o abraço do Pai*. Rio de Janeiro: BV Books, 2014.

à sua imagem gloriosa, deixando-nos cada vez mais pare-
cidos com ele.

2Coríntios 3.17-18

Imagine quão forte você estará ao fechar este livro
com a certeza de que é amada, não por um amor falho
como o do ser humano, mas pelo Deus cuja essência é o
puro amor. Deus a capacitou para ser forte e corajosa.
Você é uma guerreira, minha amiga! Enxergue-se assim
a partir de hoje. É uma honra lutar ao seu lado por essa
causa.

Com amor, Fabiola.

APÊNDICE A

MITOS E REALIDADES SOBRE O ABUSO SEXUAL DE CRIANÇAS E ADOLESCENTES

Mito	Realidade
Pessoas estranhas representam perigo maior para crianças e adolescentes.	Pessoas estranhas respondem por um pequeno percentual dos casos registrados. Em 85% a 90% das situações, crianças e adolescentes sofrem abuso sexual por pessoas conhecidas, como pais, padrastos, parentes, vizinhos, amigos da família, babás, professores ou médicos.
O pedófilo apresenta características próprias que o identificam.	Do ponto de vista físico, o pedófilo é igual a qualquer pessoa.
O autor do abuso sexual é um psicopata, um tarado que todos reconhecem na rua, um depravado sexual, geralmente mais velho e alcoólatra, homossexual ou retardado mental.	Os crimes sexuais são praticados por pessoas de todos os níveis socioeconômicos, religiosos e étnicos. Na maioria das vezes, são indivíduos aparentemente normais e queridos por crianças e adolescentes. A maioria dos autores de violência sexual é heterossexual e também mantém relações sexuais com adultos.
A criança mente e inventa que sofre abuso sexual.	Raramente a criança mente. Apenas 6% dos casos são fictícios e, nessas situações, trata-se, em geral, de crianças maiores, que objetivam alguma vantagem.

Mito	Realidade
Se uma criança ou adolescente "consente" é porque deve ter gostado. Só quando diz "não" é que fica caracterizado o abuso.	O autor da agressão sexual tem inteira responsabilidade pela violência sexual, qualquer que seja a forma por ele assumida.
O abuso sexual, na maioria dos casos, ocorre longe da casa da criança ou adolescente.	O abuso geralmente ocorre dentro ou perto da casa da criança ou de quem comete o abuso. Este costuma procurar locais em que a criança ou o adolescente esteja vulnerável. O maior índice de abuso sexual acontece no período diurno.
É fácil identificar o abuso sexual em razão das evidências físicas encontradas na criança ou no adolescente.	Em apenas 30% dos casos há evidências físicas. As autoridades precisam conhecer as diversas técnicas de identificação de abuso sexual.
O abuso sexual está associado a lesões corporais.	A violência física não é comumente utilizada na prática do abuso sexual contra crianças e adolescentes. Os autores de abuso utilizam-se mais frequentemente da sedução para conquistar a confiança e o afeto deles. Podem também lançar mão de ameaças quando a sedução deixa de funcionar. Nem mesmo o ato sexual em si, muitas vezes, provoca lesões corporais. Nesses casos, as maiores consequências são as psicológicas.
O abuso sexual se limita ao estupro.	Além do ato sexual com penetração vaginal ou anal (estupro), outros atos são considerados abuso sexual, como o voyeurismo, a manipulação de órgãos sexuais, a pornografia e o exibicionismo.

Mito	Realidade
A divulgação de textos sobre pedofilia e fotos de crianças e adolescentes em posições sedutoras ou praticando sexo com outras crianças, com adultos e até com animais não têm efeito nocivo, já que não há contato e, muitas vezes, ocorre apenas virtualmente.	O efeito nocivo é enorme para as crianças fotografadas ou filmadas. O uso desse tipo de imagens e textos estimula a aceitação do sexo de adultos com crianças, situação criminosa e inaceitável. Sabe-se que, reiteradas vezes, o contato do pedófilo começa de forma virtual, por meio da Internet, mas logo passa para a conquista física, podendo levar, inclusive, ao assassinato.
Crianças e adolescentes vítimas de abuso são oriundos de famílias de nível socioeconômico baixo.	Níveis de renda familiar e de educação não são indicadores de abuso. Famílias das classes média e alta podem ter condições mais favoráveis para encobrir o abuso e manter o "muro do silêncio". As vítimas e os autores do abuso são, variadas vezes, do mesmo grupo étnico e socioeconômico.
Crianças e adolescentes só revelam o "segredo" se tiverem sido ameaçados com violência.	Crianças e adolescentes só revelam o "segredo" quando confiam e se sentem apoiados.
A maioria dos casos é denunciada.	Na realidade, poucos casos são denunciados. Quando há envolvimento de familiares, são poucas as chances de que a vítima faça a denúncia, seja por motivos afetivos seja por medo — de quem abusou, de perder os pais, de ser expulso, de que os outros membros da família não acreditem em sua história ou de causar discórdia familiar.

Mito	Realidade
A maioria dos pais e professores está informada sobre abuso sexual de crianças, a frequência em que ocorre e como deve lidar com a situação.	No Brasil, a maioria dos pais e professores desconhece a realidade do abuso sexual de crianças e adolescentes. Assim, a desinformação os impede de ajudar a combater e a prevenir esse tipo de crime.
O abuso sexual é uma situação rara, que não merece ser considerada prioridade por parte dos governos.	O abuso sexual é extremamente frequente em todo o mundo. Sua prevenção deve ser prioridade até por questões econômicas. Segundo estudo realizado nos Estados Unidos, os gastos com o atendimento de 2 milhões de vítimas de abuso sexual chegaram a US$ 12,4 milhões em um ano.
É impossível prevenir o abuso sexual de crianças.	Há maneiras práticas e objetivas de proteger as crianças do abuso sexual.

APÊNDICE B

DENUNCIE

Para denunciar casos de abuso sexual de crianças e adolescentes, ligue gratuitamente para o número de telefone 100. O *Disque 100* é um serviço oferecido pela Secretaria de Direitos Humanos da Presidência da República que recebe, encaminha e monitora denúncias de violência contra crianças e adolescentes. As denúncias podem ser feitas de forma anônima. O atendimento ocorre 24 horas por dia, sete dias por semana.

Você ainda pode denunciar o crime de abuso sexual pelo número de telefone 190, da Polícia Militar; pelo 127, do Ministério Público e pelo aplicativo *Proteja Brasil*, disponível para *smartphones* e *tablets* com sistema operacional IOS e Android.

APÊNDICE C

DADOS DO ABUSO SEXUAL NO BRASIL

O *Disque 100* registrou, de 2011 a 2017, o seguinte número de denúncias sobre abusos sexuais contra crianças e adolescentes no Brasil:

2011 — 82.139
2012 — 130.490
2013 — 124.079
2014 — 91.342
2015 — 80.437
2016 — 76.171
2017 — 84.049
Total — 668.707*

De acordo com as estatísticas, a violência sexual encontrava-se em primeiro lugar, empatada com as violências física e psicológica (36%), seguidas de negligência (28%). Dos 36% de casos de violência sexual registrados, 65,08% referiram-se a casos de abuso sexual, 34,02% a exploração sexual, 0,60% a pornografia e 0,30% a tráfico de crianças e adolescentes.

* Fonte: Ministério dos Direitos Humanos do Governo Federal do Brasil. Disponível em: <http://www.mdh.gov.br/informacao-ao-cidadao/ouvidoria/dados-disque-100/balanco-geral-2011-a-2017-criancas-e-adolescentes.xls>. Acesso em: 11 de jan. de 2019.

Entre os casos de abuso sexual, o incesto foi a manifestação mais recorrente. Em estudo realizado no ABCD paulista, registrou-se que 90% das gestações de adolescentes com até 14 anos foram fruto de incesto, sendo o autor, na maior parte dos casos, o pai, um tio ou o padrasto.

Analisando o perfil de crianças e adolescentes vitimizados pelos vários tipos de violência notificados ao *Disque 100*, verifica-se que a maioria se compõe de meninas com idades entre 7 e 14 anos. Contudo, o fato de a maioria dos casos notificados ser de crianças e adolescentes do sexo feminino não deve minimizar a importância dos casos de violência sexual contra crianças e adolescentes do sexo masculino, para os quais vêm sendo computados números crescentes de denúncia à medida que as campanhas pró-notificação contribuem para superar os tabus de gênero.[*]

---

[*] Disponível em: <http://portaldoprofessor.mec.gov.br/storage/materiais/0000016936.pdf>. Acesso em: 27 de fev. de 2018.

APÊNDICE D

ORE COMIGO

Se você sofreu algum tipo de abuso, mesmo que não seja sexual, mas um abuso que tenha violado a mente e as emoções por meio de palavras terríveis, coloque a mão sobre o coração e peça que Deus trabalhe em sua vida.

Deus quer usar você na área da sua dor. Leve sua dor como oferta. Ele cura as feridas e as usa para curar as feridas de outras pessoas. Seja qual for o abuso que você sofreu, Deus pode libertá-la e purificá-la. A culpa não foi sua. Deus a protege e abraça. Creia que o Senhor tem algo grande a fazer por seu intermédio, mas você precisa se recompor.

Não se culpe. Não se menospreze. Não importa o que aconteceu, Deus não a acusa; aliás, ele está tratando de você, abraçando-a e curando-a. Mesmo que você se ache pequena, falha, incapaz ou suja, ele diz: "Eu vou usá-la. Eu sei em que área vou trabalhar". Acredite nos planos de Deus em sua vida. Portanto, ore comigo:

"Pai, entrego minha vida em tuas mãos: passado, presente e futuro. Limpa-me. Purifica-me. Sara minhas feridas. Cura meus traumas. Restaura minha autoestima. Peço que me cures da dor provocada pelo abuso que sofri, mediante a convicção de que não tive culpa sobre o que aconteceu. Sei que sou tua filha, que essa é minha verdadeira identidade e tenho valor incalculável aos teus olhos. Ajuda-me a superar todo sentimento de rejeição. Transforma a minha maldição em bênção, para que eu possa usar o que vivi em favor de muitas vidas, de algum modo que eu nem possa imaginar.

Deus, eu perdoo quem me fez mal. Perdoo quem abusou de mim. Apaga de tua memória a culpa de quem me fez mal e não lhe impute esse pecado. Eu o liberto da dívida que ele tem comigo e o perdoo. Peço, ainda, o teu perdão por tudo de errado que eu tenha feito em relação ao episódio do abuso. Liberdade e paz para todos os envolvidos é o que lhe peço. E que esse meu passado triste dê lugar a uma nova vida, um novo começo.

Eu te peço isso em nome de Jesus Cristo, teu Filho. Amém".

SOBRE A AUTORA

Fabiola Melo é *youtuber*, com mais de um 1,6 milhão de seguidores em seu canal, *digital influencer*, palestrante e escritora. Fabiola criou programas sociais, como o Projeto Oiapoque, que mobilizou seus seguidores e, com eles, arrecadou fundos para a doação de um barco para missionários indígenas. Também participou da criação do projeto Escola Expandindo o Reino, que dá treinamento sobre mudança de mente no Nordeste do Brasil, recebendo jovens de todo o país de forma totalmente gratuita, com o auxílio voluntário de jovens de Chorozinho (CE). Membro da Igreja Poiema, em Taubaté (SP), é casada com Samuel Cavalcante.

Compartilhe suas impressões de leitura,
mencionando o título da obra, pelo e-mail
opiniao-do-leitor@mundocristao.com.br
ou por nossas redes sociais

Esta obra foi composta com tipografia Fournier MT e Brandon Grotesque
e impressa em papel Pólen Bold 70 g/m² na gráfica Imprensa da Fé